P9-DYY-669

# LÀ OÙ JE ME TERRE

CAROLINE DAWSON

# LÀ OÙ JE ME TERRE

ROMAN

les éditions du remue-ménage

Photographie en couverture : collection privée, Jim Dawson
Couverture : Remue-ménage
Infographie : Claude Bergeron

**Catalogage avant publication de Bibliothèque et Archives nationales du Québec et Bibliothèque et Archives Canada**

Titre : Là où je me terre / Caroline Dawson.
Noms : Dawson, Caroline, autrice.
Description : Mention de collection : Roman
Identifiants : Canadiana 20200089617 | ISBN 9782890917194
Classification : LCC PS8607.A9614 L3 2020 | CDD C843/.6—dc23

ISBN (pdf) : 978-2-89091-720-0
ISBN (epub) : 978-2-89091-721-7

Cinquième tirage, 2021


Dépôt légal : quatrième trimestre 2020
Bibliothèque et Archives Canada
Bibliothèque et Archives nationales du Québec

Les Éditions du remue-ménage
C.P. 65057, B.P. Mozart
Montréal (Québec) H2S 2S0
Tél. : 1 514 876-0097
info@editions-rm.ca/www.editions-rm.ca

DIFFUSION ET DISTRIBUTION EN LIBRAIRIE
Canada : Diffusion Dimedia
Europe : Hobo Diffusion

Les Éditions du remue-ménage bénéficient du soutien de la Société de développement des entreprises culturelles du Québec (SODEC) et du Conseil des arts de Montréal pour leur programme d'édition. Nous remercions le Conseil des Arts du Canada de l'aide accordée à notre programme de publication. Nous reconnaissons l'aide financière du gouvernement du Canada pour nos activités d'édition.

*À ma reine Bérénice*

# PROLOGUE

## Residencia en la Tierra

J'avais sept ans la première fois que j'ai décidé de ne pas me tuer.

C'était l'été en décembre, l'hémisphère Sud en 1986. Valparaíso, le royaume de la poussière sablonneuse qui adhère à tous les meubles en s'infiltrant dans les vieilles maisons de pierre mal isolées. La nôtre tenait je ne sais comment sur une des centaines de pentes d'une des dizaines de collines d'une des grandes villes du Chili. Elle semblait précaire, brinquebalante et résistait pourtant à chacun des tremblements de terre qui la secouaient périodiquement, comme le faisaient d'ailleurs toutes les autres maisons merdiques du quartier pauvre où nous habitions. Elle bougeait en synchro avec la terre elle-même, et moi avec elle.

Je tourbillonnais au deuxième et dernier étage, le seul qui laissait entrer un peu de lumière dans cette ancienne maison, sombre et délabrée, à l'image de toutes les habitations qui se trouvaient sur la côte escarpée qu'on appelait notre rue. Le vent marin cognait aux fenêtres et s'invitait sournoisement à l'intérieur alors même que tout était fermé. De leur chambre, mes parents m'ont appelée dans l'énorme paquebot qui leur servait de lit. Probablement que c'était juste un queen, mais dans mes yeux d'enfant, c'était une île géante. Les draps blancs dans la lumière feutrée de l'aurore, la chaleur de leurs corps encore engourdis de la nuit, la langueur du petit matin ; j'étais si bien entre eux. Je tournicotais de l'un à l'autre en quête d'attention jusqu'à ce qu'ils deviennent graves et prononcent les mots absolus et acérés qui font advenir un avant et un après, un passé et un futur. Ils ont statué et je me suis figée, le temps immobile, l'avenir suspendu. Un instant pivot, des mots qui scindent, des phrases couteaux.

Je ne sais pas quels ont été ces mots, ils se sont oblitérés avec la presque totalité de mes souvenirs de mon pays natal. J'ai pourtant vécu toute ma petite enfance au Chili. J'y ai été à l'école, appris à lire et écrire avec des mots comme *mi mamá*, j'y ai aimé ma famille et mes amis. Comme tous les Chiliens, j'y ai joué au bilboquet, au trompo, au cerf-volant fabriqué avec du vieux papier journal. J'y ai eu une vie, heureuse et insouciante malgré les disparitions, les détentions, la torture et les camps de concentration dont je ne savais rien que le murmure, les chuchotements à demi-mot. J'ai passé sept ans sous la dictature dans un pays instable, fendu en deux, et je ne me souviens d'à peu près rien sauf de cet instant frontière. De cet instant et de tout ce qui a suivi.

Ils m'ont annoncé que dans quelques jours nous quitterions le pays pour nous réfugier au Canada à jamais. La peur m'a prise à ce moment, là où elle me prend encore parfois, au ventre. Je n'ai rien dit, je n'ai pas posé de question, transie par la fatalité qui venait d'être prononcée, la conscience claire de la gravité du moment en même temps que de l'absence totale de contrôle. J'ai regardé mes mains potelées et me suis demandé si les enfants du Canada avaient aussi de la saleté sous les ongles ou bien si tout là-bas était immaculé.

Mes parents ont quitté la pièce, m'ont laissée seule assimiler leur décision, saisir l'ampleur de mes émotions. C'est sur leur lit-île, dans cette maison de pierre que je croyais éternelle comme un roc que le plancher m'a semblé trembler jusqu'à disparaître sous mes pieds et que j'ai macéré mon désespoir. Ils avaient été catégoriques : « Nous quittons le pays pour ne plus y revenir. »

— Plus jamais ?

— Plus jamais.

— Pas même pour les anniversaires ? Pas même aux vacances scolaires ? Pas même à Noël ?

— Non. Pas même pour les naissances. Pas même pour les enterrements.

— Et ceux que nous aimons ?

— Nous continuerons à les aimer. De loin.

Les fondations de ce que je pensais être ma vie ne tenaient plus. Pouvait-on vraiment aimer de loin ? Mon monde s'est écroulé. Un moment furtif, un instant bascule où l'univers, tel que je le connaissais, m'a échappé, s'est gazéifié sous mes doigts barbouillés qui n'avaient plus d'emprise.

J'ai fait le décompte de tout ce que je délaisserais en ayant l'impression que c'est moi qu'on dépossédait. Mes crayons, mes dessins. Mes cahiers, mes camarades. Mon livre de collants, mon école. Ma corde à danser, mes amies. Mon arbre, mon cousin. Ma collection de garnottes, *mi abuelita*. Ma marelle, ma langue maternelle. Mes cerceaux, mes certitudes. Mon grand-père et mon chien qui mourraient avant que je les revoie. Des adieux extirpés, obligés, arrachés au fond de ma gorge. *A Dios*.

Je suffoquais. J'ai ouvert la fenêtre. Le soleil m'a aveuglée. En bas, la terre orange, la saleté, les chiens errants et galeux. Au loin, les avocatiers, l'océan Pacifique, la cordillère des Andes. Je ne verrais plus jamais cet horizon, je n'aurais plus jamais cette vue comme point de repère. La lourde finitude et la douleur du définitif m'ont écrasé les poumons. L'air m'a désertée.

Je me suis hissée sur l'appui de la fenêtre. J'ai regardé le sol du haut de ma falaise. Il ne s'est pas dérobé, il m'a invitée. *Fais le saut, petite. Ta vie d'avant n'existe déjà plus. Dis au revoir. Non, ne dis pas au revoir, fais juste sauter, ce sera fini. Pars sans rien dire à personne. Saute avant que tes parents ne reviennent. Ils te l'ont dit, le Chili, c'est terminé. Le monde tel que tu le connais n'existe plus. Saisis le moment et saute. Pour que la vie, telle que tu l'aimes, tu ne cesses jamais de la porter en toi. Tu l'avaleras, pour qu'elle subsiste à l'intérieur de toi tandis que tu retourneras à la terre.*

Je mourrais là, entre la cordillère et la mer, poussière dans la bouche et angoisse aux entrailles.

Seulement, je n'ai pas sauté.

Pas par apathie, pas par paresse. Face à l'appel du néant, j'ai fait le premier choix qui compte. La vie qui s'étirait devant moi a pris toute la place. Je venais d'avoir sept ans et de poser mon premier acte de foi envers le monde qui s'étalerait désormais comme une perspective étrangère, un point de vue inconnu. Je n'ai pas compris que je réactualiserais ensuite inconsciemment ce choix chaque jour, même dans les moments sombres, dans les secousses et les brouillards.

Dans cette pièce, je ne me suis pas tuée, mais ce qui avait été est mort. Je me suis arrachée à mon passé en même temps qu'on me déracinait. À partir de là, je ne garderais que deux ou trois souvenirs confus. Du Chili, presque plus rien n'est resté, ni dans les valises ni dans ma tête. De mon passé enterré, je ne retiendrais presque rien : des particules de souvenirs embués, des histoires en ruine, des mémoires cendres. Il n'en est demeuré qu'une posture, un rapport au réel et un être-au-monde : embrasser l'existence, même si pour cela il fallait la transfigurer. Ma pulsion de mort est allée s'écraser au sol tandis que je devenais survie.

# I

*Parfois en Amérique, la race est la classe.*
Chimamanda Ngozi Adichie

## Dans un grand Boeing bleu de mer

Les jours précédant le départ avaient été entièrement occupés aux préparatifs. Ma mère faisait des listes sur tout ce qu'elle trouvait et des bouts de papier chiffonnés traînaient partout dans la maison qui se nettoyait rapidement de nous. Malgré le vide qui remplaçait nos meubles, il n'y avait pas eu de place pour les peurs de l'enfance à travers lesquelles je tentais de comprendre notre présent et percevoir notre futur. Je n'avais jamais pris l'avion et je n'ai aucun souvenir d'avoir été excitée à l'idée d'embarquer dans ce monstre volant qui devait nous amener au Canada. Je ne comprenais pas comment de si gros engins pouvaient tenir dans le ciel avec autant de gens et de bagages accrochés à leurs ventres. Devant la marche sans équivoque de mes parents, le vol m'atterrait, se présentait comme la métaphore de tout ce qui m'échappait.

Je voyais les soucis de mes parents faire ombrage aux derniers jours de décembre ; je n'ai rien dit, tout gardé pour moi. Ce n'est qu'une fois à l'intérieur de l'appareil, après la démonstration des directives de sécurité des agents de bord, immobile et la ceinture bien serrée, que je suis tombée malade. Mon corps a déversé toutes ses inquiétudes sous la forme d'une incessante diarrhée. Mes pauvres parents ont dû passer à tour de rôle une grande partie du trajet qui les menait vers une vie inconnue à faire des va-et-vient entre les minuscules toilettes de l'avion et les sièges inconfortables, afin que leur fille se vide de ses incertitudes. Après le troisième voyage, ma mère m'a dit :

— Tu sais, tu peux me poser des questions si tu en as.

— Ok... Est-ce que c'est loin le Canada ?

— Oui.

— Loin comment ?

— À peu près neuf mille kilomètres.

— C'est quoi des kilomètres ?

— C'est ce qu'on utilise pour mesurer quand ce sont des grandes distances.

— Oh. Alors neuf mille kilomètres c'est long ?

— Oui.

— Mais est-ce qu'on va arriver avant demain ?

— Non. Quand on va arriver, ce sera déjà demain.

— Quoi ?

— Quand on arrivera, ce sera déjà demain.

— Mais alors, on va manquer Noël !

— Non, non. On va passer Noël dans l'avion. Tu peux dormir maintenant, et demain on sera arrivé.

Mes parents avaient choisi le 24 décembre pour entamer notre exil familial. Était-ce possible ? Nous n'aurions pas de Noël cette année ? Cantonnée dans un immense avion en plein vol, j'ai continué à énumérer mes questions. Est-ce que le ciel a un milieu ? Comment est-ce que l'avion tient dans le vide ? Est-ce qu'il peut tomber ? Où est-ce qu'on est exactement quand on est dans les airs ? Et surtout, comment le père Noël va faire pour nous trouver ?

À ce moment, j'ai réalisé que je me retrouvais nulle part. Par le hublot, loin sous moi, on ne voyait que des nuages. Rien devant, rien derrière, la planète s'était soustraite à mon regard avec, paraît-il, des gens qui y vivent, qui jouent au foot, qui s'enlacent, qui s'embrassent, qui pleurent leurs morts ou le départ des êtres qu'ils ont aimés. De là-haut pourtant je ne voyais que des nuages, des nuages épais qui prenaient toute la place et brouillaient ma vue.

— C'est quoi des nuages, maman ?

— De la vapeur d'eau. Endors-toi maintenant, mon bébé.

— Mais comment ça tient dans le ciel, de la vapeur d'eau ?

— Je sais pas, demande à papa.

Mon père, les traits tirés, le front plissé, était trop loin, physiquement et dans ses pensées, pour que je puisse lui demander quoi que ce soit. Des nuages, ça resterait pour moi de l'air, du vide, du rien. Du rien qui finit par peser lourd sur mes épaules, du vide qui fait amas, une boule, comme celle qui prenait place dans mon ventre d'enfant. Comment, bon sang, le père Noël pourrait-il nous trouver à travers ces nuages ? Mes questionnements s'accumulaient dans ma gorge, j'avais du mal à respirer dans toute cette brume. De nouveau, il a fallu que ça sorte ; j'ai vomi. Vomi, tant vomi qu'à la fin il n'y avait plus rien.

En plus de l'odeur de renfermé et de l'haleine des cinq cents corps qui s'y entassaient, l'avion sentait maintenant la vomissure.

— Est-ce qu'on peut ouvrir une fenêtre, maman ?

— Non, on ne peut pas.

— Pourquoi ?

— Elles sont bloquées.

— Bloquées ? Pourquoi ?

— À cause de la pression. Si on ouvrait un hublot, les gens seraient aspirés à l'extérieur.

— Dehors ? Mais ils mourraient ?

— Oui, ils mourraient.

— Alors on peut rien ouvrir ?

— Pas tant qu'on vole, non. Maintenant, fais ta prière du dodo et essaie de dormir.

L'altitude m'écrasait. La pression se faufilait jusqu'à mon estomac vide qu'elle faisait tanguer. Une brèche dans une porte, une fente aux fenêtres et nous serions précipités dans les bras de la mort. Nous avons risqué cela, mes parents ont risqué cela, le vide, l'inconnu devant pour se sauver de notre avant. À sept ans, j'ai su dans mes tripes qu'on pouvait tout quitter et ne plus revenir. À sept ans, j'ai appris à dire adieu, pas bye, pas à demain, pas à bientôt, pas au revoir, pas même à un de ces jours. À Dieu. À Dieu qui veut dire à jamais. À sept ans, j'ai arrêté de croire en Dieu et en une destinée prédéterminée. À sept ans dans l'avion pour la première fois, j'ai fait semblant de prier parce que j'avais compris que c'était nous qui décidions, qu'on pouvait tout crisser là, recommencer une autre vie. Mais je continuais de me demander comment, si on ne pouvait rien ouvrir, le père Noël arriverait à entrer.

J'ai fini par m'endormir d'épuisement et mes questions se sont évanouies. J'étais enfin assoupie, mais ma mère n'était pas au bout de ses peines. Ce grand saut vers l'inconnu, elle avait dû en planifier tous les détails. Parmi les milliers de choses auxquelles elle avait dû penser, les passeports, les visas, les vêtements pour des hivers qu'elle ne connaissait pas, notre sécurité, les adieux à sa propre mère, à sa sœur, à ses frères, à ses amies, à sa vie, les flics, la dictature, il y avait aussi les besoins des enfants qui ne prennent pas de repos, même quand on fuit un pays qui se déchire : les collations et les cadeaux du père Noël. Alors qu'elle devait mettre nos vies dans quelques valises achetées à crédit, je suis émue de l'imaginer cacher des jouets dans les bagages à main. En plein voyage d'exil politique, sauvegarder un peu de normalité pour ses enfants apeurés avait supposé pour ma mère d'inscrire sur ses bouts de papier la liste du père Noël à ne pas oublier.

Quand je me suis réveillée le matin dans cet air vicié, j'ai trouvé à mon chevet une Barbie, toute neuve, fraîche, rose, propre, rayonnante, parfaite. Elle me souriait. Parmi le cliquetis des plateaux à déjeuner qui m'ouvraient peu à peu l'appétit, j'ai recommencé à croire que nous finirions bien par atterrir quelque part. Malgré le nœud dans ma gorge, j'ai pris une bouchée du pain placé devant moi. Ça a passé, je n'ai pas vomi. J'ai rajouté du beurre, c'était bon. Je venais d'avoir sept ans, j'avais la bouche pleine et une nouvelle Barbie, enfin une vraie, pas une imitation cheap.

Je me retrouvais entre deux eaux ; je ne croyais plus en Dieu, mais le père Noël, j'y ai cru longtemps. Trop longtemps, des années durant, jusqu'à ce qu'on m'avoue qu'il n'était pas réel. Juste avant que ça devienne vraiment gênant.

## Les étoiles du nord nous rappellent la mort

L'atterrissage a été brusque. Une tempête de verglas avait déferlé sur le Québec et, comme pour nous préparer à ne plus compter sur les idées que nous nous étions faites de notre implantation dans un lieu étranger, on nous a avertis que l'avion se poserait à Toronto plutôt qu'à Montréal, comme prévu. À peine débarqué, mon père, au nom de tous les réfugiés qui se trouvaient dans le même vol et qui, contrairement à lui, ne parlaient pas l'anglais, a demandé l'asile politique aux douanes canadiennes. Une série de mesures établies par des règles impersonnelles, mille fois répétées sur ceux qui sont venus avant, se sont abattues sur nous. À partir de là, de cet instant où nous devions quitter la longue file principale, de ce premier regard échangé entre nous, les demandeurs d'asile, la détermination au ventre et la peur dans la voix, et le douanier sceptique, je savais que nous n'aurions droit à aucun faux pas.

Derrière nous, les yeux écarquillés par la scène qui se jouait devant lui, il y avait un monsieur, encore un peu cocktail de son petit verre de vino dans l'avion, qui revenait visiblement d'un voyage d'affaires. Ébranlé par le petit drame humain dont il était témoin, il cherchait un allié, voyageur normal dans la foule. Pas de chance, à vue d'œil il n'y avait que des Chiliens et un jeune pouilleux qui terminait un voyage d'initiation en Amérique du Sud.

Ils ont échangé un regard abasourdi, puis quelques phrases ponctuées de *oh my goodness*.

Les *oh my goodness* ont augmenté lorsqu'ils ont vu le douanier appeler du renfort, se doutant que les cinq membres de ma famille et toutes les autres personnes muettes qui avaient quitté la file mettaient leurs vies en jeu. Nos destins ne pouvaient être plus différents : un être cher les attendait sans doute à la sortie et ils raconteraient tout cela avec de grands gestes et beaucoup d'émotions en rentrant chez eux, dans leurs demeures, tandis que nous, immobiles et interdits, avions déjà l'impression de voler notre place dans ce pays qui n'était pas encore le nôtre.

La police de l'aéroport nous a envoyés dans une autre pièce, celle du fond, invisible pour les voyageurs ordinaires. Nous sommes entrés par la petite porte, l'échine courbée, le regard fixé au plancher. Nous nous sommes retrouvés devant un homme antipathique en uniforme qui est resté de glace devant nous. *Notre vie est en danger. Notre sécurité est menacée. Nous avons trois enfants, nous demandons refuge.* Des paroles qu'on pratique un million de fois. On aurait cru que le monde s'arrêterait de tourner pour moins que cela, mais non, pas un regard. Signez ici. Allez là-bas en attendant qu'on vous appelle. Vous vous ferez questionner. Ça risque d'être long. Yeux vers l'horloge, soupir, suivant.

Derrière nos *thank you, thank you, thank you very much* il y avait des dents serrées, des lèvres pincées, des poings fermés, des gorges nouées qui auraient voulu crier. Sauf que des réfugiés, ça ne dit rien. En tout cas, nous ne disions rien sans qu'on nous le demande. Obéissants, dociles. Nous avons patienté, répondu aux questions. Nous avons dit merci en ravalant notre salive et en tenant bien fort nos papiers, puis nous sommes allés nous asseoir dans le coin le moins éclairé. Nous avons dû attendre notre verdict temporaire dans une salle grise, morne, sans âme, surchauffée et surchargée d'autres misérables circonspects comme nous. Des dizaines d'humains à la fois inexpressifs et terrorisés, remettant leur destin entre les mains de ces flics d'aéroport que personne ne trustait, même si on nous avait dit qu'au Canada les policiers étaient corrects. Nous avions nos doutes : au Chili, les agents de la paix étaient ceux qui arrêtaient, qui matraquaient, qui torturaient, qui assassinaient. Les fourmis de la dictature. Que protégeaient-ils ici ?

Ici, ça les embêtait qu'on soit le 25 décembre. Nous les retenions au travail plus longtemps que prévu le jour de Noël, c'était agaçant. *Ils auraient pas pu choisir un autre jour, les réfugiés*, disait la face de l'agent qui soupirait bruyamment chaque cinq minutes, qui rouspétait comme si on avait gâché son Noël par exprès, qui maugréait des choses que je ne comprenais pas en nous pointant du doigt. Il refusait de nous regarder dans les yeux tout le temps que nous nous sommes trouvés face à lui. Ce genre d'homme, qui en soustrait d'autres à son regard, qui se défile devant la douleur, est le premier type d'être humain que j'ai détesté. Je me suis fait un devoir d'écolière de l'enregistrer dans mon cerveau pour le haïr toute ma vie durant, lui et toute sa race.

Alors qu'on n'en recevait que quelques dizaines par an à peine cinq ans auparavant, en décembre 1986 le Québec a reçu plus de 2300 revendications du statut de réfugié. Pas une semaine ne passait sans que les médias en parlent. On utilisait des mots comme « crise » et on faisait référence à des êtres humains comme à un problème à régler de telle sorte que de nouvelles politiques visant à limiter l'accueil des demandeurs d'asile furent mises en place par le gouvernement canadien de Brian Mulroney. Ces politiques furent demandées et saluées par le Québec de Robert Bourassa. Dès le début des années 1990, un contrôle plus serré a été exercé aux frontières.

Parmi ces 2300 personnes fuyant la détresse de leur pays d'origine, il y avait ma mère, Natalia. Il y avait mon père, Alfredo. Il y avait mon grand frère de quatorze ans, Jim. Il y avait mon petit frère de quatre ans, Nicholas. Et il y avait moi, Caroline Dawson. Des prénoms et des noms de famille claironnés pour nous sommer d'aller nous mettre en file et nous faire questionner.

Après les vérifications de base, la convention de Genève étant de notre côté, on nous a acceptés à titre provisoire, le temps d'enclencher le lourd processus judiciaire qui prendrait des années avant que nous puissions devenir des résidents permanents. Dans cette salle cafard, nous étions transis par le changement, pétrifiés par l'incertitude, mais poussés par la survie sur un sol qui ne tremble plus. Comme des individus à qui on reconnaît une souveraineté, on nous a offert un premier choix : préférez-vous demeurer à Toronto ou prendre le prochain vol pour Montréal ?

Est-ce que d'autres horizons auraient été possibles si nous étions restés en Ontario ? Nous ne le saurons jamais. Nous avons pris une décision basée sur trois fois rien, des rumeurs de programmes sociaux plus généreux au Québec, puis nous avons attendu que la tempête passe, fatigués et en silence. Toronto ne resterait pour nous qu'une balade. Si mes parents ont choisi Montréal sur un dix cennes, nous y sommes restés sur un moyen temps.

## Passe-Partout

Hôtel Ramada rue Sherbrooke, à l'est du boulevard Langelier. Je me souviendrai toute ma vie du tapis rouge vin de l'entrée. Du grand escalier et de ses marches trop hautes. Du comptoir de la réception qui m'effrayait avec les gens en uniforme qui se trouvaient derrière. De l'ascenseur, à droite de la salle à dîner. De la porte de la chambre 308. De cette chambre, notre camp de base, notre demeure temporaire, notre cabane au Canada. Nous l'avons cherchée partout avant de comprendre que c'était au troisième étage. En sortant de l'ascenseur, nous avons découvert que l'étage au complet était destiné aux réfugiés en attente d'un statut. Il était plein, surpeuplé, surtout de Turcs et de leurs familles nombreuses.

Entassés à six ou sept dans des chambres avec deux lits queen et une seule salle de bain, les Turcs, désœuvrés, passaient beaucoup de temps à arpenter les corridors, parfois assis à même le tapis. Nous ne nous parlions pas, n'ayant pas de langue commune. Certains mangeaient des graines de tournesol. Ça laissait des miettes partout. Lorsque nous nous sommes rendus à notre chambre pour la première fois, ça faisait crounch crounch sous nos pieds. C'est affreux à dire, mais nous les regardions de haut. Ils étaient nombreux, bruyants, laissaient des miettes par terre. Ça donnait un bruit de fond à notre état. Ça ajoutait une trame sonore à l'exil. Nous ne pouvions pas faire semblant d'être en vacances à l'hôtel, des écailles de misère jonchaient le sol pour nous le rappeler.

Devant la porte de la chambre 308, mes pieds refusaient d'avancer. Nous nous sommes tous arrêtés avant d'y insérer la clé, comme si de l'autre côté le monde allait basculer, comme si le geste d'entrer dans cette chambre allait sceller notre sort. Comment savoir si nous avions pris les bonnes décisions ? Personne ne disait rien. Je pense que c'est mon père, déterminé et catégorique, qui a rompu le silence et ouvert la porte 308. Qui d'autre que lui, l'homme de la situation ? En suivant à la queue-leu-leu, derrière ma famille, je n'ai rien vu à ce moment que le dos de ma mère. Elle avait alors trente-cinq ans, trois enfants et un avenir tremblant qui tenait à la petite clé de la chambre d'un hôtel peuplé d'étrangers.

Nous sommes entrés presque à reculons, la peur au ventre. Enfin, je dis *nous*, mais je n'avais aucune idée de ce qui se passait dans la tête et les entrailles des autres membres de ma famille. Devant l'inconnu, nous avions beau marcher ensemble, je sais que chacun de nous était seul. Je ne les regardais pas, trop occupée à examiner notre chambre avec soulagement. Pas trop petite, chauffée, plutôt propre et sans graines de tournesol à terre. Avec ma famille, j'y serais domiciliée un mois, mais à ce moment-là, je n'en savais encore rien, pas même si nous pourrions y rester trente minutes. Les premiers objets que j'ai remarqués correspondaient à deux besoins essentiels pour la fillette que j'étais alors : les lits et le plus grand téléviseur qu'il m'avait été donné de voir. Inutile de dire que je me suis garrochée pour allumer.

À Radio-Québec, c'était l'heure de *Passe-Partout*. Trois jeunes adultes habillés comme de sympathiques saltimbanques discutaient. Je ne comprenais rien et n'aimais pas ça. Des marionnettes aux voix aiguës sont apparues comme pour me confirmer que cette émission n'était pas pour moi mais pour les plus jeunes. J'ai attendu, observant encore quelques minutes. Je m'apprêtais à changer de poste lorsque la plus petite des trois adultes du début est revenue à l'écran. Elle s'est soudainement tournée vers moi.

Même si je ne savais pas ce que ses mots voulaient dire, ses yeux expressifs ont plongé dans les miens. Indistincts pour moi, aucun de ses mots ne m'atteindra, mais il demeure que la première personne qui m'ait regardée dans les yeux et m'ait adressé la parole au Québec a été Marie Eyckel personnifiant Passe-Partout. Je n'ai pas réussi à comprendre le sens de ses paroles, mais je partageais son mal-être. Elle était inquiète, tourmentée. Elle me regardait bien en face et c'étaient mes propres tracas que je voyais. Ses vertiges étaient les miens. Je me suis imaginé qu'elle me disait son chagrin, sa peur et je la comprenais. Douce et bienveillante, elle me parlait directement et c'est la clé qui a fait que mes appréhensions devant cette nouvelle vie se sont calmées. À mes pieds, le tapis a soudainement eu l'air plus stable, plus vermeil même, et en bruit de fond, il y avait désormais des sons teintés d'empathie. Sa voix m'a apaisée, j'ai alors su que je ne m'écroulerais pas. Même abîmée, je pourrais probablement prendre racine ici aussi.

## Cité libre

Nous venions à peine de quitter la dictature qu'on nous enfermait en nous interdisant de sortir en dehors du périmètre de l'hôtel. Une clôture en fer, haute et grise comme dans les pénitenciers, incarnait le contour légal de nos déplacements. Cette réclusion était la norme. L'on enfermait les réfugiés dans un hôtel le temps de faire les vérifications d'usage, de quelques jours à quelques semaines. Nous avions ordre de ne pas quitter le périmètre, de crainte que nous ne devenions des sans-papiers échappant au contrôle national. Nous avons donc dû rester confinés durant des semaines au Ramada, cet hôtel à la fois asile et prison. La moindre sortie à l'extérieur des limites permises pouvait nous coûter une expulsion directe au pays d'origine, sans autre forme de procès.

Mais trois enfants dans la même pièce des jours durant sans savoir quand ils seront délivrés, ça crie, ça hurle, ça bouge, c'est à l'étroit, ça veut sortir, surtout quand c'est précisément la liberté qu'on leur a promise en quittant le Chili. Nous avions beau tourner sur les chaises, sauter sur les lits, chanter à tue-tête dans le bain, nous savions que ces permissions n'étaient qu'une contrefaçon d'indépendance, des petites permissions arrachées à l'ennui. Tout était régulé: nous mangions aux heures imposées par la cafétéria de l'hôtel, nous regardions ce que la télévision nous montrait, nous marchions en écrasant les écailles de tournesol de long en large dans les corridors sombres du troisième étage. Mes parents faisaient ce qu'ils pouvaient pour nous distraire. Nous avions l'habitude de nous promener dans l'enceinte de l'hôtel, mais c'était notre premier hiver canadien, et le froid était un obstacle de plus lorsque nous voulions nous aventurer dehors. De toute façon, dès que nous sortions, la vue de la clôture nous rendait l'air irrespirable : il y avait un seuil au-delà duquel nos déplacements étaient interdits.

Un jour plus doux que les autres, alors que la neige avait un peu fondu, nous en avons profité pour sortir dans le stationnement arrière de l'hôtel. Ma mère a retenu un cri. Comme les autres membres de ma famille, j'ai suivi son regard ahuri pour remarquer à mon tour le trou dans le bout de clôture. Une brèche, assez grande, visible, aménagée par d'autres qui nous avaient précédés, était là et nous regardait de son air frondeur. Interloqués, nous ne pouvions plus ne plus la voir. Elle était là, ostensiblement, rebelle, indisciplinée, se moquant par sa seule présence des restrictions du système.

Qui avait osé ? D'où venaient-ils ? Et où se trouvaient-ils aujourd'hui ? Étaient-ils encore à l'hôtel ? Renvoyés dans leur pays d'origine ? Intégrés à la société comme si de rien n'était, comme s'ils n'avaient pas triché ? Se rappelaient-ils cet affront ? Il y avait une brèche, c'était indéniable, et elle était juste assez grande pour laisser passer des êtres humains à genoux. Ils nous invitaient. La brèche nous invitait, elle nous invitait tant que ça en devenait insoutenable. Ensemble, nous avons regardé partout : pas de personnel de l'hôtel en vue, pas de caméras de surveillance qui pourraient nous identifier. Il restait seulement à savoir si cette ouverture serait pour nous lucarne ou meurtrière.

Que ferions-nous ? Ce n'est pas comme si nous pouvions décider de visiter le Casino ou la Ronde. Nous nous trouvions sur l'inhospitalier boulevard Langelier, sans voiture, sans passe d'autobus, sans fortune. Pourquoi sortir alors ? Allions-nous vraiment défier les règles pour promener notre ennui sur un boulevard sans âme rempli de buffets chinois ? Est-ce que ça valait la peine de tout risquer pour observer quelques quidams aux visages interchangeables trimballer leur indifférence d'un pas rapide comme dans n'importe quelle grande ville ?

Mais en même temps, n'était-ce pas précisément pour cela que nous avions fui le Chili ? Tout risquer, pour respirer à pleins poumons toutes les saisons, pour regarder l'horizon s'étaler devant nous, pour un souffle de liberté. Il me semble que c'est aussi dans sa totale inutilité que résidait la beauté du geste. La béance qui nous invitait ne faisait plus de la clôture un obstacle, elle la transformait en point critique, en commencement.

Nous nous sommes accroupis et l'un après l'autre nous sommes passés de l'autre côté. Même si nous étions déjà dehors, pour la première fois, nous sommes vraiment sortis, échappés, comme si nous avions franchi le seuil qui nous séparait de notre avenir.

Nous avons marché ici et là, visité pendant quelques minutes les alentours gris et bétonnés. Il y avait quelque chose de sécurisant dans le bruit incessant des voitures qui se fichaient de nous. Étrangement, même si l'air était plus froid et les vents plus violents sur les trottoirs de la ville, j'y ai mieux respiré. Je n'ai pas été la seule puisque nous avons répété notre évasion. En fait, nous sommes sortis tous les jours. Chacun d'entre nous, pour nous assurer que nous étions toujours vivants. Chaque matin, nous avons pu observer le monde à partir de notre point de vue. Le trou dans la clôture était devenu notre judas.

Personne ne nous a jamais vus, même si au fil de nos imprudences nous avons fini par agrandir la brèche. Peut-être pour ceux qui suivraient.

## La liberté n'est pas une marque de yogourt

Lorsque nous sommes sortis de l'hôtel où on nous avait confinés, nous n'avions nulle part où aller. En attendant de trouver un petit appart dans le nord de la ville, nous sommes allés squatter quelques jours chez les seules connaissances de mes parents au pays, une famille de Chiliens dont le père, dans sa jeunesse, avait été l'amoureux de ma tante préférée. Malgré leur rupture, il avait gardé des relations cordiales avec la famille. Comme le font généralement les Latinos, il passait de temps en temps saluer ma grand-mère, qui lui donnait en échange conseils et bénédictions. Ses visites avaient cessé quand il avait immigré au Canada, où il avait rencontré une autre femme, elle aussi exilée chilienne. Le couple avait désormais deux enfants, des fillettes du même âge que mon petit frère et moi, toutes deux nées à Montréal.

La plus jeune était la plus adorable. Petite, douce et pâlotte, les cheveux courts, fins, coiffés d'une bobépine retenant son maigre toupet sur le côté droit. Je la revois à quatre ans, toujours habillée de petites robes jaunes ou roses trop courtes et les joues rougies par ses manigances. Grassouillette, elle était l'image même des illustrations des livres français pour enfants de l'entre-deux-guerres et je ne pense pas me tromper en disant qu'elle était, déjà à quatre ans, une bonne vivante. En bonne Chilienne pour qui il n'existe que deux possibilités corporelles – grosse ou maigre –, sa mère tentait vainement de lui faire perdre du poids ou de ne pas lui en faire prendre davantage à force de petits régimes et de légères privations, mais la fillette réussissait toujours à faucher un bout de pain lorsque les adultes avaient le dos tourné. Gourmande, je la suivais souvent dans ses chiperies frivoles, même si je préférais de loin jouer avec sa grande sœur, la maigre.

Aujourd'hui, je m'imagine le bazar que ça a pu constituer pour cette famille d'en héberger une autre sous son toit. Cinq personnes, des quasi-inconnus qui ne partageaient ni le même sang ni le même nom de famille, se sont soudainement installés dans leur intimité et dans un appartement déjà trop petit pour eux. Ils se sont rapidement retrouvés en infériorité numérique dans leur propre foyer. Tout ce monde devait se doucher dans la même salle de bain, se laver les dents dans le même lavabo, manger le petit déjeuner à la même table, socialiser respectueusement en file pour le premier pipi dans l'unique toilette avant le premier café. Mes parents ne cesseront jamais de se sentir redevables envers eux et je suis certaine que dans leur tombe, ils les remercieront encore. Ils ont raison.

Pour mes frères et moi, même si ce n'était pas facile, c'était déjà beaucoup mieux. Nous n'étions certes pas chez nous, mais nous nous trouvions dans un endroit vivant, habité, pas confinés dans une chambre d'hôtel anonyme sans place pour courir, crier ou jouer. Quand nous marchions dans l'appartement, ça ne faisait plus crounch crounch ou alors, c'était le bruit des miettes de notre propre *pan con palta**. Nous pouvions désormais sortir

* Pain aux avocats.

dehors, laisser des traces de pas sur la neige, même si elles s'effaceraient à la prochaine bordée. Nous pouvions, si nous le voulions, exister dans le monde extérieur, même si nous préférions la plupart du temps demeurer entre nous, à l'intérieur.

Nous avions aussi enfin accès à un réfrigérateur. À l'hôtel, lorsque mes parents s'étaient aventurés en sortant par la clôture pour acheter quelques fruits et une brique de fromage en spécial, ils les avaient mis sur le rebord extérieur de la fenêtre. Tout avait gelé et j'ai vu des larmes d'impuissance se former au coin des yeux de ma mère.

Comme tous les enfants énergiques, j'étais constamment affamée, mais j'hésitais à me servir des collations en dehors des repas collectifs. C'était un degré de confiance que je ne réussissais pas encore à atteindre dans ce nouvel environnement. Je pourrais prétendre que c'est la faim, besoin primitif et viscéral, qui m'a poussée à ouvrir le frigo la première fois sans y être invitée, mais ce serait faux. Si au bout de quelques jours, j'ai osé, c'est juste que j'ai succombé à une irrépressible curiosité.

Parmi les légumes, les œufs et les sacs de lait, j'ai vu un pot de yogourt à la vanille. Ça faisait des semaines que je n'avais pas mangé de yogourt, nous avions l'habitude d'en manger chaque jour au Chili, et à l'hôtel il n'y en avait pas. Dessus, l'inscription LIBERTÉ, comme une célébration de mon geste. Je l'ai tout de suite comprise, *libertad* était un des mots que ma mère m'avait appris à écrire. On m'invitait en majuscules à ouvrir le pot. Je l'ai pris, répétant pour moi-même le mot *liberté*; j'avais déjà le sens du théâtre. En le humant, je me suis dit que c'était presque comme si ce n'était pas moi qui l'avais découvert, mais lui qui m'avait trouvée. Peut-être manquais-je de stimulation, mais j'étais véritablement bouleversée.

J'ai dégusté le yogourt à la vanille les yeux fermés, avec un délicieux sentiment d'interdit. Dans ma bouche, c'était frais, onctueux, sucré, exquis. Chaque bouchée était une délectation que je vivais presque religieusement, seule, chose exceptionnelle dans le brouhaha constant de ce petit logement abritant neuf personnes. Je m'en serais resservi une seconde fois, mais en me retournant, j'ai vu la petite, ébaubie.

Elle n'a rien dit, enfin rien avec sa bouche, mais ses yeux me jugeaient. Elle me défiait du regard, augmentant la tension par le simple pincement de ses lèvres crispées. Les mains sur les hanches comme une sévère maîtresse d'école, tout son corps hurlait. Je tenais encore le pot de yogourt dans ma main gauche et je savais qu'un seul faux pas pourrait la faire crier pour vrai. Elle n'a tourné les talons que lorsque je me suis ravisée en remettant le pot bien à sa place, sur la tablette du haut du frigo. Puis, plus rien. Silence radio sur ma conduite.

Le soir même, alors qu'elles ignoraient que j'étais dans la salle de bain à côté de la cuisine, j'ai entendu la fillette et sa mère revenir sur le yogourt-*gate*. La petite lui avait tout raconté : mon délit, sa découverte, notre duel muet, sa victoire. Sa mère, calme et patiente, l'écoutait et la rassurait. Puis, il y a eu les mots bourrades : « *Mami, quiero que se vayan. Se van a comer toda nuestra comida* », a lancé la gourmande, la rage audible entre ses dents. « *Lo sé mi hija, lo sé**. »

Liquéfiée, je suis longtemps restée aux toilettes, immobile, honteuse. Nous venions d'arriver et la plus petite de

* — Maman, je veux qu'ils partent. Ils vont manger toute notre nourriture.
— Je le sais, ma fille, je le sais.

la famille, celle qui était douce et charmante, en avait déjà assez de moi. Partout intruse, pour avoir une place, il faudra que je me faufile.

Je ne leur ai plus jamais demandé de yogourt par la suite et quand on m'en a proposé, j'ai décliné, prétextant ne pas avoir faim. À la place, j'ai pris l'habitude d'en subtiliser en cachette, la plupart du temps par petites lampées, à même le pot. En fait, je n'ai plus rien demandé du tout et m'interdire de mendier la moindre chose est devenu un mode de vie.

Je le fais encore, d'abord refuser les choses qui me sont présentées, repousser celles qui me sont données pour ensuite mieux les prendre discrètement ou carrément m'en accaparer en catimini. À partir de ce jour de liberté volée, j'ai commencé à observer par les portes entrebâillées, à marcher sur la pointe des pieds pour ne pas me faire remarquer. À la dérobée, me retourner pour m'assurer qu'on ne m'a pas vue. Fragile comme un instant furtif.

## C'est l'histoire du petit castor

Je ne sais comment, mes parents ont déniché un quatre et demie dans Ahuntsic dans un bloc appartement bondé de Latinos. Exception faite de la concierge – une dame québécoise âgée, maigre et avec la voix rauque du cancer du poumon qui l'emporterait quelques années plus tard –, tous les résidents avaient l'espagnol comme langue maternelle. Dans l'entrée commune délabrée, là où traînaient par dizaines des circulaires et les commères du building, subsistaient perpétuellement des effluves de friture et de pauvreté. Notre odeur.

Une fois que nous avons emménagé dans l'appartement, meublé de façon disparate des dons rassemblés par une travailleuse sociale connue de tous les réfugiés hispanophones de Montréal, mes parents ont eu droit de s'inscrire à des cours de français gratuits. Québec venait de faciliter l'accès aux centres d'orientation et de formation pour les immigrants – les fameux COFI – à coups d'annonces en grande pompe dans les journaux, où on n'avait cesse de vanter leurs mérites pour l'intégration des nouveaux arrivants. En principe, mes parents avaient le choix entre étudier le français ou travailler. Mais avec trois enfants, ces politiques ne faisaient pas le poids. Ils n'allaient pas retourner sur les bancs d'école alors que notre vieux frigo bruyant offert par une âme charitable était vide.

Ils avaient trois bouches à nourrir et sans connaissance du français, ils ont fait comme la plupart des réfugiés : ils se sont trouvé des jobs de merde où ils n'avaient pas besoin de parler.

Entre la shop, les ménages, les restaurants, mes parents travaillaient de jour, de soir, de nuit, la fin de semaine, alternaient les shifts en bossant rarement moins de douze heures par jour. Je ne les ai jamais entendus dire qu'ils étaient fatigués et c'est seulement une fois adulte, en regardant de vieilles photos de l'époque, que je vois leurs jeunes visages envahis par les cernes bleus de la résignation. La fin de semaine, ils en profitaient souvent pour récupérer un peu du sommeil qu'ils avaient vendu à leurs patrons. Devant leur porte de chambre fermée, mon petit frère et moi nous nous tournions vers la télévision, sans les déranger.

La télé nous parlait français avec des animations le plus souvent japonaises. Nos préférées étaient incontestablement *Maya l'abeille*, *Touftoufs et Polluards*, *Sur la rue Tabaga* et *Les amis ratons*, mais nous n'étions pas difficiles. Nous avons tout regardé sans discrimination, y compris *La bande à Ovide*, *Bibifoc*, *Madame Pepperpote*, même *Hotchi* s'il le fallait. Nous avons regardé chacune des émissions, au complet. Tout sauf *Les mystérieuses cités d'or*. C'est là qu'était notre limite et que nous éteignions le téléviseur, ô sacrilège.

Devant les émissions de fin de semaine, mon petit frère et moi ne rêvions pas du tout de conquérir l'Amérique latine, d'en découvrir les trésors perdus, d'en déchiffrer les secrets. À vrai dire, le souvenir enfoui de la cordillère des Andes me chagrinait. Ce n'était plus l'horizon qu'il m'était permis de penser. Les descendants d'Incas mêlés aux colons européens comme nous vivaient désormais sous la dictature ou étaient exilés. Regarder *Les mystérieuses cités d'or* ne contribuait aucunement à donner un sens au monde dans lequel nous nous trouvions ni à celui que nous avions quitté.

Non, nous, dans ce premier appartement où nous nous saoulions de télévision, c'était *Le petit castor* qui nous aidait le plus, avec les constantes disputes, les fugues multiples, les mauvaises décisions, les va-et-vient émotifs, les réactions excessives face à l'imprévu, les méchants qui arrivent de nulle part mais à qui on peut donner une bonne leçon. Ça ne faisait que quelques semaines que nous étions au Québec et comme l'émission était prévisible, nous pouvions saisir la trame narrative générale. À part une dizaine de mots appris dans *Passe-Partout*, nous ne parlions pas encore français. Le générique du début nous était incompréhensible et au lieu du pourtant clair « C'est l'histoire du petit castor », nous entendions « Alessona, petit castor ».

Ce matin-là, nous avons chanté « Alessona, petit castor » en chœur, en loop et à tue-tête dans le seul espace où nous nous sentions chez nous, alors constitué par le quatre et demie familial, tandis que mes parents essayaient de récupérer leur sommeil avant qu'un des deux parte faire son shift du soir. Comme d'habitude, personne ne s'est levé pour nous faire taire.

Entre deux « Alessona, petit castor », nous avons entendu des bruits au-dehors, des enfants qui riaient. Nous sommes allés voir à la fenêtre, les voisins jouaient en habits de neige fluo. Ils ont construit un fort en à peine quelques minutes, dans lequel ils sont entrés. Mon petit frère et moi nous nous sommes regardés, épatés par leur habileté. L'idée d'aller les rejoindre nous a traversé l'esprit, mais comment aller jouer avec les enfants du quartier si nous ne comprenions pas leur langue ? Nous sommes restés en dedans et sommes devenus des spectateurs. Nous avons passé tous nos samedis à regarder d'autres enfants jouer, sur l'écran de télévision ou par la fenêtre. À craindre l'univers extérieur, en même temps qu'à le désirer.

La télévision n'est pas seulement devenue notre écran de fumée, mais notre gardienne, notre éducatrice et notre seule amie. Nous avons passé des heures en sa compagnie. L'émission *Passe-Partout* nous enseignait mieux que toutes les autres les rudiments du français. *Un oiseau* répété cinq cents fois, ça fait son effet. Au cours des années suivantes, j'en écouterais religieusement chacun des épisodes, même après avoir bien appris la langue. À onze, douze ans, par nostalgie, je m'assoirais encore, les lumières tamisées, comme à la messe, en communion avec les autres petits Québécois, pour regarder culbutes et petits drames en faisant de ce moment un réconfort, un lieu d'appartenance.

Mais ce matin-là, nous sommes restés immobiles, cois, longtemps debout à regarder les enfants faire une bataille de boules de neige. C'était un spectacle magnifique et d'une extraordinaire douleur, la neige caracolait sur leurs cris et leurs rires. Nous nous savions exclus, en dehors du monde, reclus à l'intérieur. Empêtrés dans la sphère domestique et ne comprenant rien, même pas les mots simples de la chanson thème du petit castor, le plus petit mais le plus fort.

C'était injuste, le dehors avait l'air si vivant sans nous.

Pour nous venger, ce matin-là, nous avons inventé notre propre idiome.

Alessona est rapidement devenu un des mots de la langue que mon petit frère et moi avons imaginée. Alessona n'avait aucune signification, seulement une sonorité familière que nous pouvions répéter. La réalité nous échappait, nous reléguait au silence, à l'impossibilité de communiquer, et notre seule revanche était de faire semblant d'avoir une langue que personne à part nous ne comprenait. Plutôt que de l'investir, nous nous sommes écartés de l'univers qui nous refusait son accès.

Rien ne nous effrayait autant que la ruelle, dont nous ne comprenions rien ni des codes ni de la langue, sans cesse criée à coups de « Arrêêêête Kevin ! » et « Geneviève, viens dîner tusuite ! ». Au lieu de l'affronter, nous pensions que nous réussirions à nous construire avec trois ou quatre brindilles un château fort qui, nous l'espérions, nous en protégerait.

Nous nous déchaînions à former onomatopées, syllabes et mots. Sauf que nous ne disions rien. Parce qu'une langue, c'est collectif et nous, nous étions seuls au monde.

Pendant plusieurs semaines, nous ferions ainsi mine d'ignorer le babillage constant des autres avec de nouveaux sons de notre invention. Du moins jusqu'à ce que je fasse mon entrée en classe d'accueil où, tandis que j'irais goûter à la langue commune, je laisserais à mes parents tous les « alessona » et le soin de nous nourrir.

## Un ours polaire dans l'autobus

C'était un après-midi de la fin de l'hiver, ensoleillé mais glacial. Malgré le froid, nous étions sortis en famille, ce qui était assez rare pour que nous soyons survoltés. Nous attendions l'autobus pour aller à la Fête des neiges, excités comme des poussins, trépignant d'impatience sur le trottoir de la rue Sauvé. Mes parents nous laissaient chahuter dans la file malgré les regards désapprobateurs des madames endimanchées. Ce n'était pas dans nos habitudes d'aller jouer dehors l'hiver; ça ne le deviendrait par ailleurs jamais. On passerait année après année de la fin novembre au début d'avril à l'intérieur, à contenir notre énergie ou à la dépenser dans les moments glanés çà et là, au détour des commissions au Super Carnaval, derrière le gros magasin Rossy ou dans les stationnements vides des banques où mes parents faisaient le ménage.

À deux emplois chacun, avec trois enfants, des dettes par-dessus la tête, de la famille à aider financièrement au Chili, mes parents épargnaient sur tout ce qu'ils pouvaient, utilisaient tous les subterfuges imaginables si ça permettait de sauver dix piasses. Ils avaient trouvé un petit manège bien pratique pour parvenir à économiser sur le transport, partageant la même passe d'autobus qu'ils utilisaient à tour de rôle. Comme il n'y avait pas de contrôleurs, le premier montait à bord en montrant sa passe au chauffeur.

Il allait ensuite s'asseoir complètement dans le fond, ouvrait la fenêtre et lançait la carte à l'autre, qui attendait alors le prochain bus pour monter en toute « légalité » en montrant le même titre. C'était avant le temps des lecteurs électroniques et du contrôle de la STM pour les jeunes, les tricheurs et les pauvres.

Quand l'autobus est enfin arrivé, mon père a décidé de monter en premier avec *los chicos*, comme il nous appelait, mon jeune frère et moi. Ma mère resterait à la sortie du métro avec mon frère aîné, qui avait déjà sa passe pour l'école, à geler en attendant le prochain. Connaissant le manège, mon petit frère et moi nous nous sommes pitchés au fond de l'autobus, dépassant tout le monde et bousculant même quelques personnes, comme des mésadaptés. Mon père s'excusait au passage, pour la forme, puisque ça l'arrangeait que nous prenions les devants pour nous garantir les places tout au fond. Mine de rien, il s'est avancé vers nous l'air sérieux et réprobateur, a ouvert la dernière fenêtre à droite et dit au revoir à ma mère bien fort. Sans un mot, mon petit frère et moi nous sommes contentés de faire des bye bye à la fenêtre avec empressement avant de détourner le regard rapidement. Même s'ils ne nous l'avaient jamais expliqué, nous savions que nos parents trichaient, comment ils opéraient, mais surtout pourquoi ils le faisaient. Quand il le fallait, nous regardions de l'autre côté.

L'autobus est parti. Je ne me souviens pas du trajet, seulement qu'à notre arrivée nous devions attendre quinze minutes avant de voir le prochain bus de la même ligne, celui dans lequel ma mère et mon grand frère devaient se trouver pour nous rejoindre. Il faisait froid, c'était long, c'était plate, c'était presque insoutenable pour des enfants, mais c'était le prix à payer pour une seule carte mensuelle.

Lorsque l'autobus suivant est enfin arrivé, le reste de ma famille n'y était pas. Ni dans celui d'après, qui a semblé prendre trois siècles à arriver.

Mon père s'efforçait de ne pas montrer sa panique, mais nous n'étions pas dupes de ses sourcils froncés, de ses mains se tordant, de son rictus. Je me souviens aussi de l'anxiété que je n'arrivais pas à mettre en mots, mais qui tourbillonnait en boucle dans ma tête, *ma mère s'est fait prendre, la police des autobus l'a amenée à la prison de la STM, nous nous ferons déporter.* J'étais prisonnière de cette litanie tandis que mon père n'avait de cesse de regarder sa montre. Au bout de quarante minutes, temps figé dans l'appréhension, nous avons enfin aperçu ma mère, inquiète, essoufflée, le visage rouge de honte et d'effort, courant vers nous.

La voix tremblante de mon père trahissait l'affolement qu'il avait refoulé devant nous.

« *¿Te vieron* ?* »

Non. On ne l'avait pas pognée à tricher, seulement mon père avait lancé la carte à la dernière minute, l'autobus ayant déjà entamé sa route. L'objet avait atterri entre la fenêtre et la publicité qui ornait le bus et était resté pris là. Mon grand frère et ma mère avaient vu s'éloigner le bus, insensible au petit drame. Sans la passe et sans argent, ils avaient fait tout le trajet à pied comme des misérables. Mon père, frustré, questionnait ma mère sans répit : Pourquoi tu n'as pas couru après l'autobus ? Pourquoi tu n'as pas fait signe ? Pourquoi tu n'as pas crié ? Exténuée, ma mère vociférait ses réponses : ils avaient crié, fait de grands gestes, mais nous n'avions rien vu, rien entendu.

---

* Ils t'ont vue ?

Je ne sais pas combien de temps ils se sont engueulés ; j'étais mollement immobile sur mon petit banc, effarouchée, soulagée et à la fois contrariée, *c'est bon, nous pouvons rester, nous ne serons pas déportés, personne n'a rien su de notre arnaque*, mais aussi *c'est la fin du mois, on ne peut plus acheter de passe mensuelle. Va falloir payer le reste des jours un par un.* Je faisais calculs et budgets en silence, *ça va coûter une beurrée, comment ferons-nous pour payer les trajets, est-ce que mes parents peuvent se permettre deux passes de bus ?*

Sans que je m'en rende compte, ils avaient arrêté de se disputer et ont commencé à marcher. Nous sommes allés à la Fête des neiges, mais le cœur n'y était plus.

## La surprise dans la boîte de céréales

Nous étions dix-sept enfants, de toutes les couleurs. Enfin, toutes les couleurs des gens qu'on appelle les « minorités visibles ». Pas de Blancs dans la classe, mis à part la maîtresse. Il a fallu désapprendre à l'appeler Madame-la-professeure, comme nous le faisions dans nos pays respectifs. Elle n'avait d'ailleurs pas de nom de famille. Ça devait être quelque chose d'impossible à écrire ou à prononcer correctement pour la petite réfugiée que j'étais. Quelque chose comme Beaulieu, Ouellet ou Gaudreault. Pour nous, les enfants immigrants de la classe d'accueil de l'école primaire La Visitation, proche du boulevard Henri-Bourassa, elle se nommait madame Thérèse.

Madame Thérèse était âgée. Enfin, je le suppose puisqu'elle était ridée, tirée à quatre épingles et avait la nonchalance de celles qui pratiquent ce métier depuis cent ans. Elle ne s'en faisait jamais et, en articulant bien comme il faut tout en roulant ses r, nous disait souvent : « Vous allez bien finir par apprendre le français, ce n'est pas si sorcier, vous verrez. » Je répétais « sorcier ». Je traduisais le mot, mais ne saisissais pas le sens de sa phrase. Quel lien avec la sorcellerie ? Ça viendrait, la compréhension. En attendant, elle parlait fort et lentement, comme si nous étions des malentendants. J'aimais sa rassurante prestance.

Je ne crois pas m'être fait un copain ou une amie dans la classe de madame Thérèse. Les yeux apeurés, nous tentions d'apprendre les codes, de passer à travers la journée, de demander en français où sont les toilettes, j'ai perdu mon cache-cou, je m'ennuie de ma mère. Survivre au début de 1987. Pas encore former des amitiés. Appréhender notre nouvel environnement. Je me rappelle la violence du vent de février, suivie de la sloche brune du mois de mars. C'est quoi ça, de la boue à moitié congelée ?

Je me souviens d'être transie. Des bottes mouillées, des chaussettes humides et des pieds qui puent. Je sais surtout qu'on apprivoisait l'hiver en même temps qu'on apprenait les mots pour le dire : « neige, poudrerie, pluie verglaçante ». « Stie qu'y fait frette » viendrait plus tard, quand ma famille aurait l'argent pour déménager dans un appartement assez grand pour nous cinq, dans Hochelaga. Pour l'instant, dans notre petit quatre et demie mal isolé d'Ahuntsic, c'était « flocons », « givre » et « ours polaire ».

À l'intérieur de la classe de madame Thérèse, c'était toujours chaleureux. C'était sec et bruyant. Je ne sais pas comment nous réussissions à communiquer avec nos multiples langues maternelles et notre vocabulaire français de trois cents mots chacun, mais il me semble que nous parlions tout le temps. Qu'est-ce qu'on pouvait bien se dire ? Probablement « j'ai froid » ou « il fait froid », *ad nauseam*. Pour nous sentir vibrer ensemble face aux bourrasques du nord de la ville. Pour partager ne serait-ce que notre condition de frigorifiés. C'est que nous n'avions pas grand-chose en commun. J'étais latina, il y avait des Turcs, une Maghrébine, un Kurde. Nous n'étions pas encore québécois. Même pas proches. Les autres, je ne sais même pas de quels pays ils venaient et ça n'avait sincèrement aucune importance. Parce que nous avions tous et toutes les joues rougies par l'hiver et une histoire d'exil familial que nous ne racontions jamais.

Madame Thérèse avait certes de bien curieuses méthodes d'enseignement, mais il était difficile de le lui reprocher, puisqu'on se francisait rapidement. Même les Chinois réussissaient à apprendre le français dans sa classe, disais-je le soir, en espagnol, à mes parents impressionnés : même les Chinois ! Quant à moi, assise entre le Kurde et une Turque, je m'efforçais de comprendre les nouveaux mots et de les répéter. De ce séjour pourtant ardu dans la classe pour immigrants non francophones de madame Thérèse, à part les températures glaciales et la sécheresse, je n'ai gardé qu'un seul vrai souvenir.

Madame Thérèse aimait bien tester nos connaissances et prendre le pouls de nos progrès. Nous avions des tonnes de mots à intégrer. Nous devions les mémoriser chaque soir après les cours. « Traîneau, pelleter, banc de neige ». Ça pressait, le printemps allait bientôt arriver. Pour nous motiver, elle apportait une immense boîte de céréales Honeycomb. La belle boîte rouge vif, géante, format Costco. Avec les céréales qui ressemblaient à des fleurs, me disais-je avant que je ne comprenne des années plus tard qu'elles représentaient en fait des alvéoles d'abeilles. Ça faisait si longtemps que je n'avais pas vu de fleurs.

Nous avions faim, mais notre maîtresse nous faisait languir. Elle passait une bonne minute à fouiller dans ses cartes, afin d'être certaine de nous en donner une assez difficile pour nous lancer un défi à la hauteur de nos connaissances, mais également assez simple pour ne pas nous décourager. Elle prenait la boîte si lentement que c'en était désespérant. Elle la déposait sur son bureau, bien ouverte, et commençait son quiz.

Elle choisissait d'abord un enfant plus ou moins volontaire et pigeait une des illustrations se trouvant sur une des centaines de petites cartes plastifiées. Chacun notre tour, nous devions associer un mot ou une expression à l'image. Si nous y parvenions, elle nous donnait une poignée de céréales, recueillies à même la gigantesque boîte. Pas de lait, seulement les céréales sucrées. De sa main manucurée pleine de bagues à nos menottes aux ongles sales.

Fin février, jour de tempête. La Chinoise, qui était en fait sûrement coréenne, a été choisie en premier. Une illustration de chaussures avec des lames. Elle a dit « patins ». Facile. Elle a eu droit à ses céréales. Comme elle faisait du bruit en les mangeant, ça devenait plus difficile de se concentrer. Je me disais : pourvu que ce soit bientôt à moi. Madame Thérèse a choisi le Kurde. L'image montrait trois boules une par-dessus l'autre, surmontées d'un chapeau melon, une carotte à la place du nez. Il a réfléchi, s'est mordu la lèvre, a dit « homme de neige ». Je savais que ce n'était pas tout à fait ça. La maîtresse a probablement pensé quelque chose comme *ouain, quasiment*. Elle l'a corrigé : « bonhomme de neige », articulé *bo-nho-mme*. Il est devenu anxieux, ses yeux ne quittaient pas la boîte de céréales. Il a répété « bonhomme de neige ». Le Kurde, pas de pays, a pu aller se chercher une poignée de Honeycomb pour son presque bonhomme de neige.

C'était mon tour. J'avais les mains moites, la gorge serrée, le ventre avide. Au bord du pipi nerveux, je la regardais gosser dans ses cartes, faire des moues, secouer la tête. Laisser passer les trop évidentes, se questionner à propos des plus difficiles. En choisir une, juste pour moi. Elle me l'a montrée : un homme qui dévalait une pente avec des bâtons sous les bottes. Merde, c'était un sport. Un sport d'hiver. Je ne connaissais rien aux sports d'hiver. Avant d'arriver au Québec, je ne savais même pas qu'il y avait des olympiques qui leur étaient dédiés.

« Ski ? » Elle m'a regardée, levé le sourcil, et attendu, sévère. Elle voulait que je précise. Elle exigeait davantage, madame Thérèse. Elle savait que je pouvais. « Ski... ski alpin ! » Ah ! J'ai réussi ! « Ski alpin ! » J'ai répété avec orgueil, suivi d'un petit rire sonore et victorieux. Quand je suis allée prendre ma poignée de Honeycomb, elle m'a demandé si j'en avais déjà fait : « Non, madame Thérèse. » Je n'avais ni le cran ni les mots pour lui dire qu'en fait, je ne savais pas vraiment c'était quoi du ski alpin. J'avais juste mémorisé le dessin, ce n'était pas *sorcier*. Je ne savais pas à ce moment-là que malgré les trente hivers auxquels j'ai depuis survécu, cette réponse serait toujours vraie. *Non, madame Thérèse, du ski alpin, je n'en ai jamais fait. Ce n'est pas de votre faute, c'est juste que ce n'est pas vraiment pour nous.*

Comment faisait-elle pour toujours trouver une illustration qui était exactement à notre degré maximal de difficulté ? Elle y arrivait chaque fois. En tout cas, les dix-sept enfants de sa classe d'accueil ont tous engraissé durant cette période. Nous avons habité l'hiver et appris le français, une céréale à la fois. J'imagine que c'est ce qu'on appelle apprendre par cœur.

Je n'achète jamais de Honeycomb aujourd'hui. Ces céréales m'émeuvent trop. Elles goûtent doux le miel, mais aussi l'incertitude glaciale des premiers jours dans un pays nordique. Seulement les sentir et tout me revient. L'odeur de sucre. De *je ne comprends rien*. De ce *où c'est qu'on est câline* qui prend aux tripes des enfants déracinés. Et du feutre humide des dizaines de petites bottes qui sèchent longtemps sur le calorifère de la classe de madame Thérèse.

# II

*Le fait que seul le fils parle et seulement lui est*
*une chose violente pour eux deux : le père est privé*
*de la possibilité de raconter sa propre vie*
*et le fils voudrait une réponse qu'il n'obtiendra jamais.*

Édouard Louis

## Au clair de la lune

Avant je m'en foutais. J'étais audacieuse, courageuse, intrépide, sauvage et ne connaissais pas la peur. Je grimpais aux arbres en me moquant qu'on voie mes culottes, je tirais la langue, défiais toute autorité qui me paraissait illégitime, je parlais fort et j'aimais tous les garçons que je croisais, surtout mon grand frère.

Mon frère, du haut de ses dix ans, héros et modèle pour la petite fille de trois ans que j'étais, partait tous les matins en marchant sur la rue faite de terre, sans véritables trottoirs. Je le regardais longuement grimper la colline escarpée pour se rendre à l'école qu'il fréquentait, la même où mon père enseignait l'anglais. Ils montaient d'un pas lent, durant de longues minutes. Mon frère en trottinant des fois et d'autres fois en kickant des cailloux comme un condamné, mon père patient. Je les observais jusqu'à ce qu'ils disparaissent graduellement de mon regard envieux. Eux, dehors, habillés pour l'occasion en uniforme – veston, cravate, pantalon propre – tandis que je restais à la maison, en pyjama dépareillé, avec ma tante, ma grand-mère, ma mère et mon bébé frère, poupon qui ne savait pas encore marcher. L'ennui a commencé là, entre les tâches ménagères et les soupirs de ces femmes en tablier qui attendaient que le jour débute et qu'il se clôture, sans laisser de marque nulle part ; toujours un linge à la main, épongeant chacune des traces qu'elles croisaient sur leur route, de la cuisine au salon.

Elles étaient enfermées dans l'éternel recommencement des lits à faire, de la liste des courses à renouveler, du porte-monnaie troué, des repas à cuisiner, de la vaisselle à laver, à essuyer, à ranger, des restants à gérer, des vêtements à laver, des draps à étendre, du pliage de caleçons, des chaussettes, des douillettes, du ramassage des cochonneries de tout le monde. À entendre le murmure de la radio raconter le monde extérieur, à changer des couches, soigner des bobos, faire des guili-guili aux tout-petits et dans le meilleur des cas écouter les ragots du quartier repris mille fois par l'aimable voisine que tout le monde appelait la fêlée. Je voulais descendre du train, maelstrom incessant de la sphère domestique, m'éloigner de l'étreinte étouffante de la maison, pour moi aussi prendre le chemin de terre, grimper la colline, apprendre à lire, à écrire, à compter.

J'avais trois ans et je me suis mis en tête que je devais absolument sortir, me confronter à l'école moi aussi. J'ai demandé, puis exigé qu'on m'y inscrive chaque jour, plusieurs fois par jour, durant des semaines qui devinrent des mois. Ma pauvre mère, entendant ma litanie, tentait de m'occuper du mieux qu'elle le pouvait, mais la petite Caroline, accablée de lassitude, était insistante et persuasive. Je ne lâchais pas le morceau et « Moi aussi je veux aller à l'école » est vite devenu la première chose que je disais le matin les yeux encore embrouillés par la nuit et la dernière avant de m'endormir. Mes parents n'étaient pas du genre à se soumettre à mes caprices, mais « Moi aussi je veux aller à l'école » était devenu mon adage, presque un trait de ma personnalité.

Après que j'ai sans relâche gossé mon père, mon frère, ma mère, ma tante, ma grand-mère ainsi que la fêlée avec mon désir d'école, mes parents ont fini par céder. Mon père a fait les démarches nécessaires auprès de l'institution où il enseignait et a dû lui aussi insister. On n'allait pas laisser entrer une fillette de trois ans dans le programme scolaire sans présenter un semblant de résistance ; mais c'était le Chili et les années 1980, la bureaucratie avait ses détours. En outre, mon père faisait partie du personnel depuis longtemps, il était aimé, impliqué, avait une grande gueule. Avec des tours de passe-passe administratifs, ils ont finalement réussi à m'inscrire en maternelle. À trois ans et des poussières, je suis devenue officiellement une écolière.

Mes parents ne pariaient pas un sou sur le fait que j'allais finir l'année, non pas à cause de mes difficultés à suivre le programme, mais plutôt de ma capacité à soutenir le rythme que suppose pour un corps de trois ans des journées d'école avec des enfants du double de mon âge. Ils me savaient toutefois assez orgueilleuse et tête de cochon pour m'investir dans l'expérience jusqu'au bout de mes forces.

L'école accueillait les enfants dès la maternelle jusqu'à la dernière année du secondaire. À trois ans, j'étais littéralement la plus petite personne à la fréquenter. Si minuscule en fait que mes parents ont dû contacter une couturière pour confectionner sur mesure mon uniforme – obligatoire encore à ce jour dans les écoles du Chili –, les magasins n'en ayant pas à ma taille de bestiole. Je suis rapidement devenue la mascotte de l'école, la petite chose sur deux pattes qui faisait tournoyer son enthousiasme avec un sac trop gros dans la cour de récré, côtoyant comme si de rien n'était les ados de quinze et seize ans. J'étais chez moi.

Dire que j'ai aimé l'école est un euphémisme. J'avais trouvé un endroit assez grand pour briser la monotonie, accueillir mes débordements et dissiper l'ennui que je balayais sous le tapis depuis des mois. Je m'y sentais bien, dans la meilleure version de moi-même. Je suis enfin devenue occupée, prolongée par l'école. Je tendais vers elle avant d'y aller, et en y mettant les pieds j'ai su : l'école, pour toujours, serait pour moi à la fois terrain de jeu et destination. Si chaque soir j'en revenais lessivée, il n'en reste pas moins que j'y adorais tout : les routines, les apprentissages, les jeux libres, l'odeur des crayons aiguisés, de la craie sur le tableau, le bruit des pupitres déplacés, l'excitation avant la cloche, les drames dans la cour, les différents points de vue auxquels j'étais confrontée. Tout, sauf une chose, et c'est celle qui a tué mon année scolaire, les ordres, l'obéissance et la domination qu'ils supposent.

Je n'ai pu m'y résoudre et je suis devenue une drop-out de trois ans le jour où on a fait de la gouache.

C'était pourtant une de mes activités favorites. On avait donné à chaque enfant une palette avec trois cavités. Nous avions donc droit de choisir trois couleurs. J'ai pris trois fois du rouge.

— C'est pas trois couleurs, l'enseignante me dit.

— Oui. C'est rouge, rouge et rouge.

— Dans deux minutes, tu vas me demander d'autres couleurs, Caroline.

— Non, je veux juste beaucoup de rouge.

J'ai vu sa fatigue à son regard qui soupirait. Elle m'a quand même laissé à mes trois rouges avant de se diriger vers l'enfant qui chialait à mes côtés parce qu'elle voulait une quatrième couleur. Évidemment la prof refusa, mais la fillette s'est mise à insister et à demander aux élèves autour si elle pouvait prendre leurs palettes pour compléter son arc-en-ciel, sans succès. La sachant un peu chipie, je la scrutais du coin de l'œil, soupçonnant qu'elle tenterait éventuellement de me piquer du rouge, absent de sa palette. J'ai alors vu ses yeux s'illuminer : la prof avait laissé le gros pot de gouache jaune à quelques centimètres de moi. J'avoue que c'était tentant.

La fillette s'est furtivement penchée vers moi pour me chuchoter à l'oreille : « Passe-moi le jaune. » Bien sûr que j'ai refusé ; j'avais beau être trois ans plus jeune, je n'étais pas stupide. Tout le monde sait que les profs ont des yeux tout le tour de la tête et ce n'est pas vrai que j'allais me faire gronder pour un délit d'amateur. Elle persistait : « Si tu le fais vraiment vite, elle nous verra pas. » Je fis non de la tête, détournai mon regard et me concentrai sur mon œuvre. La petite n'en finissait plus de gigoter sur sa chaise et décida de se faire justice elle-même. D'un geste rapide et brusque, elle a tendu la main pour attraper le pot de peinture. Sauf qu'elle était quelques millimètres trop loin et ses doigts maladroits l'ont à peine effleuré, juste assez pour le faire tomber. L'énorme bouteille perdit son bouchon mal vissé en plein vol, laissant la gouache jaune répandre son air coupable avec fracas. D'abord sur la table, puis partout sur le plancher, éclaboussant au passage les murs, les pattes de chaises, nos pantalons bleu marine.

L'enseignante s'est retournée, a vu la giclée, traître, qui entamait son long parcours à mes côtés et s'est exclamée : « Caroline ! »

— Ce n'est pas moi, madame.

Elle me savait turbulente, effrontée même, mais pas malhonnête.

— C'est qui alors ?

J'ai baissé les yeux.

Une constellation de jaune chatouillait mes chaussures aussi brunes que le sol. C'était beau, incongru. J'hésitais. Je n'aimais pas particulièrement la fillette. À vrai dire, je la trouvais même fatigante, mais ce n'était pas une raison pour moucharder une camarade de classe.

— Je peux pas vous le dire, madame.

— C'est bien ce que je pensais. Tu vas devoir aller au coin, Caroline.

— Non ! C'est pas juste ! C'est pas moi !

— C'est qui alors ?

— JE VEUX PAS LE DIRE !

Elle laissa retomber les épaules, découragée. C'était la fin de la journée et toute sa personne respirait la fatigue. Elle aurait pu passer l'éponge, mais ses yeux se posèrent par terre, puis sur ses propres chaussures, parsemées de gouttelettes jaunes tout comme les derniers bas de nylon sans mailles qu'elle possédait.

— Caroline, va au coin.

Cette fois, je l'ai regardée dans les yeux.

— NON. C'est pas moi. Je vous dirai pas c'est qui et j'irai pas au coin.

Il va sans dire que j'ai abouti, mortifiée et boudeuse, dans le coin. Dans cette salle de classe beige, en regardant de près le mur sale qui s'écaillait, malgré mon engouement pour l'école et le ravissement avec lequel je la retrouvais chaque jour, j'ai pris la décision de ne plus revenir. Je n'en ai rien dit à l'enseignante. Lorsque la cloche a sonné la fin de l'humiliation, j'ai pris mon sac, l'ai rempli de mes possessions et je suis sortie, d'humeur plus amère que maussade, sans me retourner.

Au retour de l'école, comme si ce n'était pas assez, il s'est mis à pleuvoir sur ma déconfiture. Malgré le parapluie, les gouttelettes tambourinaient sur mes chaussures, faisant couler la peinture qui, peu à peu, glissait de mes pieds sur le sol boueux. Une pléiade de petites taches jaunes sur ma route.

En rentrant à la maison, j'ai rangé mon sac pour la dernière fois et j'ai annoncé à mes parents ma décision. Le lendemain et tous les jours qui suivront, je refuserai de retourner à l'école. Mais ce soir-là, au clair de la lune devant la fenêtre, j'ai regardé dans la pénombre les petites taches solaires tapissant le sol maintenant sec. Avec en trame sonore le réconfortant remue-ménage domestique de ma mère, je les voyais, jaunes, brillantes. Ma mère, m'apercevant prostrée devant la fenêtre, a laissé la vaisselle pour venir se poser à mes côtés. Elle l'observa longuement, elle aussi, mon chemin stellaire. Tandis qu'elle mettait sa main bienveillante sur mon épaule en silence, je souriais sans réserve, fière, digne, satisfaite.

## Ma p'tite Julie

À mi-chemin de l'année 1987, l'école d'accueil ne serait pour moi plus que vagues impressions. Plus de visages ; ils iraient tous échoir dans la voûte de la petite réfugiée comme ce dont on n'a pas de photo et dont on ne se souvient pas. Comme ma mémoire du Chili, des souvenirs brouillards.

J'avais passé un hiver dans la mosaïque multiculturelle canadienne fantasmée et protectrice de la classe de francisation, j'avais réussi la première étape pour devenir une super réfugiée modèle d'intégration réussi : on m'acceptait dans le programme régulier. Cependant, dans la cour de l'école primaire Louis-Colin dans Ahuntsic, il me semblait que j'entrais encore une fois dans un nouveau pays. Dans cette école, il n'y avait plus tellement d'immigrants et s'il y en avait, ils étaient majoritairement blancs, ce qui n'était pas la même chose. Je ne pouvais plus me fondre dans la masse, je sortais du lot.

Les premières journées, je n'arrivais pas à reconnaître les autres élèves tant toutes les fillettes étaient à mes yeux identiques. Bien fines, bien en santé, bien calmes, bien ennuyantes. Des Julie par dizaines, minces, habillées de couleurs pâles, le sourire rose, l'air vaguement gentil, le cheveu blond et fin. Certaines disaient qu'elles étaient châtaines, mais s'il y avait une différence, elle m'échappait encore et était franchement exagérée; on disait pourtant juste noirs pour toutes les teintes au-delà du brun foncé.

J'arrivais en deuxième année avec mes épaisses tresses noires qui tenaient rarement toute une journée, mon surpoids dû au *pancito* quotidien, ma salopette en jean dont j'étais la seule à penser qu'elle était cool, mon vieux t-shirt rose fluo délavé ou mon *suit* de jogging mauve acheté en liquidation chez Woolworth et ma flûte à bec blanche. Une flûte à bec dans les poches comme si j'étais au-dessus des conventions sociales.

Tout cela aurait pu renforcer mon indépendance et mon originalité si je n'avais été si consciente de mon inadéquation avec l'environnement. Et peut-être aussi si celui-ci ne m'avait toisée avec un certain mépris, que je comprendrais plus tard comme un mélange de hauteur, de dérision et de pitié. «Ta mère t'a pas peignée, aujourd'hui?» me demandaient-elles le matin en retirant soigneusement leurs passe-montagnes roses pour en ressortir les cheveux lisses, une barrette sur le côté, tandis que je m'ébouriffais la tignasse en enlevant ma tuque brune tricotée maison, pleine de statique. Je gesticulais, j'avais un accent, je parlais fort, je jouais de l'ostie de flûte. J'étais outrageusement enthousiaste, sonore, voyante. Tout mon être était tapageur à côté de ces filles que je trouvais si délicates dans le luxe de leur anonymat.

Je ne pourrais jamais être assez caméléon pour leur ressembler physiquement; c'est donc ma personnalité qui a été étouffée. J'ai décidé à huit ans d'éviter de sortir du lot. Je me suis pratiquée devant le miroir à ne plus parler avec mes mains. J'ai retenu mon emballement en classe. J'ai appris à ne plus rire trop fort devant les autres filles quand elles faisaient des blagues. Je me suis forcée à marcher au lieu de courir à la récréation. La retenue est devenue ma posture. Si je n'ai pas réussi à éteindre la petite Latina en moi, j'aurai au moins tenté de l'atténuer en menant une véritable campagne d'extinction graduelle. À force d'amortir mes couleurs et d'émousser mes ardeurs, je me suis fabriqué une enfance assourdie.

En même temps, tout criait que je ne serais jamais une p'tite Julie. Quand on me demandait mon prénom et que je répondais fièrement « Caroline » sans accent parce que je m'étais pratiquée comme pour une épreuve olympique, il y avait toujours une petite pause malaisante qui trahissait le scepticisme de mon interlocuteur, adulte ou enfant. Tout me trahissait et les Julie de l'école, pas dupes, finissaient invariablement par me demander : « Caroline ?! Es-tu adoptée ? »

Non, répondais-je, l'oreille basse, dans un murmure penaud et embarrassé. Je n'avais jamais le temps de raconter que mon père était prof d'anglais au Chili et qu'avec ma mère ils avaient choisi des prénoms anglais pour leurs trois enfants. Aussitôt se lisait le désintérêt sur leurs visages et tandis qu'éteinte, je les regardais s'éloigner, je retrouvais le silence suffoqué d'une vie sans échos, aux oscillations feutrées et, en sourdine, mon intranquillité.

## Mangeux de marde

Comme toutes les autres boîtes à lunch de l'époque, elle était rectangulaire, en plastique dur, avec deux compartiments. Elle était d'un jaune canari pâlissant au rythme des jours d'école qui s'égrenaient lentement. J'aimais la placer à l'horizontale sur la vieille table pliante blanche en formica, typique des écoles primaires publiques de Montréal. Un petit sentiment de bonheur s'emparait de moi chaque fois que je la déposais, moi la boulotte qui aimais tant manger. Chaque fois que j'entrais dans la minuscule cafétéria éclairée aux néons, peu importe le quartier et peu importe l'école, la même attente mêlée d'agitation me tiraillait l'estomac.

Affamée et gourmande, je contemplais longuement et craintivement ma petite boîte jaune avant de l'ouvrir. L'appréhension me tenaillait une fois qu'elle était bien alignée le long du bord de la table. C'est au moment de l'ouvrir que le pincement au ventre se faisait sentir. Est-ce que je pourrais manger en paix ? Est-ce que ça attirerait les regards ? Est-ce que ça aurait l'air bizarre ? Est-ce que ça sentirait étrange ? Nous n'avions pas de thermos. Contrairement aux mamans québécoises, il ne serait franchement jamais venu à l'idée de ma mère d'en acheter, ni à moi d'en demander un. De toute façon, je lui avais déjà interdit d'y mettre des repas chauds, toujours plus odorants que les froids.

Ce jour-là, impatiente, nerveuse, je n'ai pas fait durer le supplice. Avec précaution et fébrilité, j'ai ouvert ma boîte d'un seul coup. Schnoute, un sandwich au *dulce de leche*. Personne ne connaissait ça en 1988. J'en mangeais chaque semaine, mais je n'en avais jamais vu ou entendu parler hors de la maison. D'ailleurs au Chili, on appelait ça du *manjar* et ici, je n'avais pas de mots en français pour nommer ce que je mangeais.

— Heille, as-tu vu ? Son beurre de peanut est bizarre.

— C'est pas du beurre d'arachide. Ça s'appelle du *manjar*, c'est comme du caram...

— On dirait d'la marde.

Une autre chose sur la liste d'aliments à manger en cachette. Le jour précédent, ça avait été le *pan con palta*, les tartines avec des morceaux d'avocat écrasés dessus. Dans les années 1980, personne n'instagramait ses toasts à l'avocat, et les regards de côté de mes voisins de table m'avaient rapidement convaincue qu'il valait mieux ne pas les exposer trop longtemps. Je les ai remisées dans ma boîte à lunch. Je les mangerais dans la hâte, cachée des autres enfants, en arrivant à la maison, là où c'était socialement acceptable de trouver appétissant ce que les autres avaient dédaigneusement appelé du pain au vomi.

Cette fois, j'avais trop faim, je ne pourrais attendre au soir. J'ai rapidement englouti mes tranches de pain pleines de *manjar* maison, sans même goûter à son nectar sucré. J'ai avalé mon pain et ma honte avec un tel empressement que j'ai fini par avoir le hoquet. Ça m'est resté pris en travers de la gorge. Entre chacun des soubresauts de mon petit corps dans la cafétéria de l'école primaire, je goûtais à l'amertume de la différence.

Même si je tentais de rationaliser en me répétant que les vrais mangeux de marde, c'étaient les petits flics des lunchs dans la cafétéria, je savais ne pas pouvoir tenir cette position d'apeurée chaque midi. J'ai donc pris les seuls moyens qui s'offraient à moi.

— Maman, je ne veux plus que tu me mettes du *manjar* ou de la *palta* dans mes lunchs.

— *¿Por qué?*

— Je n'aime plus ça.

Mon intégration d'enfant immigrante a passé par la honte de ce que j'étais, le rejet de ce qui me constituait et une série de petites trahisons envers moi-même et mes parents. J'ai commencé à ne me concevoir qu'à travers les yeux des autres, en tentant d'anticiper leurs réactions. J'avais huit ans et j'avais déjà interdit à ma mère de mettre des trucs pouvant être perçus comme exotiques dans mes lunchs, m'aliénant ainsi de ma culture d'origine. Mener la bataille jusque dans mon assiette tous les midis constituait un trop grand défi dans ma vie d'écolière ; j'ai capitulé en me privant de ce qui me plaisait, me dépossédant de petits bouts de moi.

« Je n'aime plus ça » : le premier mensonge d'une longue série pour apprendre à devenir quelque chose comme une Québécoise.

## Travailler c'est trop dur

Elle était éducatrice en service de garde au Chili, elle faisait aussi du théâtre pour enfants. Elle était source d'émerveillement, elle riait et semait de la joie partout où elle allait. Il était syndicaliste et enseignant. Il avait l'habitude de prendre la parole, d'être celui que tous regardaient. Ici, mes parents ont eu des vies faites d'ordres, de tête baissée, de mutisme. Parmi mille et une jobines usantes et mal payées qu'ils ont dû se taper au fil des années, ils ont subsisté en faisant, en plus de leurs emplois de jour, le ménage dans une banque. Mes parents travaillaient dans l'anonymat, à l'abri des regards. À la fermeture des bureaux, quand il fait noir, quand c'est silence.

Dans la pénombre, personne ne pouvait voir que ma mère était de celles qui adorent les tout-petits, même ceux qui ne sont pas les siens. Et qu'elle passerait toute sa vie à s'en vouloir d'avoir manqué une partie de notre enfance à travailler deux, trois jobs pour arriver. Personne ne devinerait que mon père était le meilleur orateur que j'aie rencontré, que quand il parlait, tout le monde l'écoutait. En faisant le ménage, il se taisait.

Chaque soir, après l'école, ils nous trimbalaient à une des succursales de la CIBC, pour les accompagner le temps qu'ils nettoient les bureaux. C'était un travail au noir, mais au moins, nous étions ensemble.

Ce que je me faisais chier.

Mon ennui n'était rien en comparaison de ce que vivaient mes parents en torchant les toilettes d'une vingtaine d'employés. Je chialais parce que je m'ennuyais pendant que ma mère avait la tête dans la cuvette d'une toilette et que mon père se broyait le dos à passer l'aspirateur sur deux étages. Ils suaient pendant que mon petit frère et moi faisions semblant de dessiner dans la salle à dîner vide et sans personnalité. La salle qui sentait le filtre sale de la machine à café, le plastique des distributeurs d'eau avec leurs gros bidons de 18,9 litres et un mélange de Windex et d'eau de Javel.

Nous n'avions pas le droit de toucher à rien, alors nous touchions à tout en cachette. Le high de la découverte durait une ou deux semaines. Nous arpentions la place, sans rien déplacer au début. Puis, nous prenions nos aises. Nous nous assoyions sur les chaises, ouvrions les tiroirs. Nous trouvions rapidement les bonbons, les tampons, les condoms. Nous fouillions dans les agendas laissés là. Nous lisions tous les papiers, parfois même ceux de la poubelle. Nous regardions partout, partout, partout. Si mes parents travaillaient, nous, on s'occupait. On s'occupait tant qu'à la fin, je savais tout de la vie et des habitudes des employés. Comme une détective, je scrutais les indices de la vie des autres.

C'est là que j'ai appris à appréhender le monde en regardant les retailles laissées par ceux et celles qui vivaient à la lumière, les citoyens et citoyennes à part entière. C'est là que j'ai appris à donner du sens aux morceaux épars que je pouvais recueillir, même s'ils se trouvaient dans leurs vidanges. Je vivais leurs vies par procuration.

Parmi la vingtaine d'employés de cette succursale de la CIBC, c'est madame Cyr qui réussissait le plus à m'émouvoir. Après quelques jours d'absence où il n'y avait rien à nettoyer dans son cubicule, j'ai retrouvé la photo de son mari, celle qui trônait avant dans un cadre en plastique sur son bureau, déchirée en deux, balancée à la poubelle.

Je l'ai ramassée.

En fait, je ne l'ai pas juste ramassée. Je l'ai ramassée et avec le scotch tape de madame Cyr, je l'ai recollée. Je voulais la garder et attendre six mois, un an, le temps que l'eau coule sous les ponts. Je voulais attendre que le divorce soit digéré pour la remettre dans ses affaires. Pour raviver ses souvenirs, une fois la colère passée. J'avais prévu de la garder et la mettre subtilement dans un des livres de Danielle Steel qu'elle laissait traîner sur le coin de son bureau, comme signet. Elle aurait alors soupçonné un collègue à l'âme mauvaise, pas une petite réfugiée de huit ans qui s'ennuyait à mourir pendant que ses parents se tuaient à l'ouvrage.

On ignorait notre existence ? Je m'arrangerais pour la révéler. Même s'il était hors de question que je signe mon crime, je voulais laisser une trace. Ne pas demeurer invisible. Mais bon, j'avais huit ans, alors la photo, je l'ai évidemment perdue. Et puis, la photo d'elle et de ses enfants en vacances qui est venue remplacer celle du père était belle. Madame Cyr avait coupé ses cheveux, changé ses lunettes. Elle était plus flyée, avait un sourire franc, malgré ses yeux tristes.

Puis, il y avait le boss. Enfin, un des boss. Ou un sous-boss, de ceux qui doivent encore travailler pour de vrai. Il avait le plus grand bureau, un des seuls avec une fenêtre et une immense bibliothèque que ma mère détestait. Elle ne contenait que des manuels d'économie et des cartables de statuts financiers qui prenaient toujours trop de temps à épousseter. Pas de vrais livres. Aucun, pas même de Danielle Steel. Le sous-boss était le seul à ne pas avoir une simple chaise, mais un fauteuil. Un fauteuil en cuir, qui tourne. J'aimais passer du temps dans ce fauteuil trop grand et regarder la bibliothèque sans vrais livres. Je ne voulais pas sa job, mais sa place.

C'est sur ce fauteuil, celui d'un sous-boss de la banque CIBC à la fin des années 1980, que j'ai eu l'idée d'écrire un livre. Si nous devions être là tous les jours de la semaine, aussi bien leur voler quelques feuilles 8½ par 14, les plier en deux, les brocher et en faire un bouquin.

Premier livre donc. Un best-seller tiré à un seul exemplaire. J'avais écrit l'histoire, mon petit frère m'avait aidée à la dessiner. Ça racontait l'odyssée de deux enfants qui ont trop la flemme pour torcher leur chambre et qui trouvent toutes sortes d'excuses pour s'en dispenser. Page après page, ils arrivent à ne jamais toucher au désordre, et à le laisser là, pour que quelqu'un d'autre le ramasse à leur place.

Le livre s'intitulait *Le ménage, c'est ridicule*, mais il aurait aussi bien pu avoir pour titre *Le désaveu.* Notre grande trahison était toute là, pas même subtile. Pendant que nos parents s'éreintaient à gagner leur vie, notre vie, nous nous désolidarisions de leur épuisement quotidien, pour raconter notre petit spleen.

Quand je repense à la job de mes parents, ce qui me frappe, c'est que jamais il ne nous est venu à l'idée de les aider. Jamais ils ne nous l'ont demandé.

Toute notre jeunesse a été comme ça. Ils ont torché partout. Des maisons de riches à L'Île-des-Sœurs, des appartements de luxe à Westmount, des hôtels cinq étoiles du centre-ville, des bureaux de dentistes sur la Rive-Sud, des banques à la devanture vitrée et à l'architecture froide comme celle de la CIBC. Ils ont torché partout pour qu'on ait le luxe de s'ennuyer. Notre processus créatif est né là, au fond des poubelles des autres que mes parents ont dû soulever pour que nous, nous puissions nous asseoir, tranquilles, à observer le monde et le mettre en mots.

## Le bonhomme Carnaval

Je commençais ma troisième année que j'en étais déjà à ma quatrième école primaire. Après celle du Chili, l'école d'accueil, l'école régulière, j'avais changé pour une autre qui ne faisait pas partie de la Commission des écoles catholiques de Montréal. Au lieu de la religion, à l'école protestante, nous avions davantage de cours d'anglais, ce que le prof de langues qui vivait encore tapi à l'intérieur de mon père trouvait vraiment important. L'école Ahuntsic se trouvait au bout de la ville, sur le boulevard Saint-Laurent, devant les voitures qui passaient à toute vitesse.

J'étais observatrice et discrète comme mes deux seules amies, des fillettes gentilles, satisfaites, sans grandes ambitions. Je ne brassais pas d'air, j'étais coopérative, je ne répliquais pas aux sobriquets, à la douce violence que font subir les enfants aux autres enfants qui passe inaperçue aux yeux des adultes. Je roulais ma bosse. Ma personnalité tumultueuse s'était adoucie, polie par le frottement à cette nouvelle culture où j'apprenais à être sans grimper aux arbres.

J'allais à l'école avec un certain enthousiasme et sans rechigner. J'aimais m'asseoir dans la classe et écouter l'enseignante. Tenter d'être à la hauteur et constamment lui prouver que je l'étais. Performer sans faire de vagues. Être bonne en ne dépassant personne. J'étais devenue une petite fille modèle qui levait la main, attendait son tour, ne dérangeait jamais; j'étais devenue ce qu'on attendait de moi.

La fin de semaine, lassée de la télé, je fouinais dans mes fournitures scolaires pour tromper l'ennui et me changer les idées. Colorier, dessiner, mesurer avec ma petite règle de plastique, faire des cercles avec mon compas, apprendre des dictées par cœur, mais surtout écrire. Je me suis mise à écrire frénétiquement des chansons et des poèmes. J'aurais voulu faire ça toute ma vie, être poétesse, si j'avais su qu'on avait le droit.

Il y a un poème dont j'étais particulièrement fière: « Mon bonhomme de neige ». Il ne s'y passait rien, je décrivais seulement un bonhomme de neige et, ce faisant, j'embrassais pour la première fois l'hiver, en me l'appropriant. Je l'avais travaillé durant des semaines. Recommencé, raturé, réécrit, cherchant les mots exacts, le ton précis. Je l'avais épuré, jouant des sons en cherchant sa musique. Et lorsque j'ai eu fini de le réécrire, après trois samedis de petits bonhommes à la télé, je l'avais trouvé parfait. Chaque mot avait été cueilli, aucun n'était superflu. Je voulais lui faire honneur; je l'ai soigneusement retranscrit tel un copiste du Moyen-Âge, avec ma plus belle calligraphie dans le carnet que j'avais volé dans le tiroir d'un des employés de la banque où mes parents faisaient le ménage.

J'en étais à ajouter des flocons de neige autour du titre lorsque j'ai entendu mon père se lever. Par réflexe, j'ai caché le carnet. Trop tard, mon geste précipité m'avait trahie, soulevant la suspicion chez mon père. Avant de me faire chicaner, je lui ai dit « c'est mon poème », espérant faire diversion. Surpris, il a tendu la main pour le lire. Je lui ai donné le carnet volé, hésitante, et j'ai attendu, voyant ses yeux passer de l'étonnement à l'incrédulité. J'avais si peur de me faire chicaner que j'ai fermé les yeux jusqu'à ce qu'il me demande interloqué : « *¿Tú lo escribiste ?* » Il n'a pas attendu que j'acquiesce : « *Muéstralo a madame Monique ! Llévatelo al colegio mañana y muéstralo a tu profe**. »

Abasourdie d'avoir impressionné mon père et de ne pas m'être fait gronder pour mon vol, j'ai passé une partie de l'après-midi à transcrire le poème sur une feuille mobile, question de ne pas forcer ma chance avec mon petit délit. Lentement, je savourais chacun des mots que je recopiais, sachant que c'étaient les bons. Une fois terminé, j'y ai mis des fioritures dans les marges. Je voulais illustrer un beau bonhomme de neige, mais mes talents en dessin étant limités, je ne voulais pas bousiller mon poème avec des gribouillis enfantins. J'ai donc calqué le bonhomme Carnaval trouvé dans une brochure du Publisac. Je ne savais pas que c'était l'emblème du Carnaval de Québec depuis trente ans. En regardant mon œuvre agrémentée d'un bonhomme de neige sympathique et original avec ce que je pensais être un foulard autour de la taille, j'étais fière, mon beau poème musical était aussi accompagné de couleurs.

Le lundi suivant, je me suis levée fébrile et tremblante. Je m'étais réveillée aux aurores et avais répété tout le petit matin ce que j'allais dire à madame Monique, mais arrivée à l'école, j'avais perdu toute contenance. C'est l'estomac noué que j'ai passé la matinée à attendre le bon moment pour lui parler. Le dîner m'a permis de rire avec les copines et de trouver un peu de courage pour aller la voir. D'une petite voix qui s'excuse d'exister, je lui ai dit en revenant en classe : « Pardon de vous déranger, madame

* C'est toi qui as écrit ça ? Montre-le à madame Monique ! Apporte-le à l'école demain et montre-le à ta prof.

Monique, est-ce que je peux vous donner un poème que j'ai écrit ? Je pense qu'il est très beau, même que mon papa m'a dit de vous le montrer. »

Je me souviens de tout, son visage intrigué, sa main ridée qui replace délicatement une mèche de cheveux grisonnante derrière son oreille avant de prendre la feuille que je lui tendais, anxieuse, ses yeux bruns furtifs qui survolent rapidement mes mots et son tiroir. Le tiroir de son bureau, gouffre obscur dans lequel elle a jeté ma feuille d'un geste détaché : « Je vais la regarder quand j'aurai le temps cette semaine, ok ? »

J'ai passé la semaine à guetter obsessionnellement tous ses mouvements. Je ne pouvais m'empêcher de zieuter rapidement dans sa direction. Dispersée, incapable de me concentrer, je scrutais ses allées et venues de son bureau au tableau et du tableau à son bureau. Jamais elle n'ouvrait son tiroir, ce qui lui conférait mystère et importance. Je pensais qu'il renfermait ce qu'elle avait de plus important et de plus précieux, en me disant qu'elle attendait sans doute la fin de semaine pour lire mon poème dans la quiétude de son appartement.

Je me la représentais comme j'imaginais toutes les femmes que je considérais bourgeoises : habillée de noir, en talons hauts, un verre de vin blanc à la main, dans une maison toute propre pleine de livres anciens et de tapis à poils longs. Elle lirait mon poème le dimanche soir devant le feu de foyer, dans son fauteuil en cuir, et reviendrait le lundi matin avec des photocopies pour tout le monde. Elle me féliciterait, lirait mon poème cérémonieusement à voix haute tandis que les enfants de ma classe se tairaient, ébahis d'être témoins de ma transformation : de la petite réfugiée interdite et silencieuse à la fillette qui se joue de la grammaire pour fabriquer des poèmes. Ces mots, les miens, seraient entendus.

Le lundi suivant est arrivé et elle n'a rien dit, pas un mot au sujet de mon bonhomme de neige de toute la journée. Je suis rentrée chez moi confuse, bredouille, de mauvaise humeur. Je n'ai presque pas dormi cette nuit-là, tentant de trouver un sens à son silence. Ne l'avait-elle pas aimé ? L'avait-elle trouvé si médiocre qu'il lui était impossible de m'en parler ? Était-il possible qu'il soit si abominable ? Le lendemain, je suis allée la voir, intimidée, avec une boule au ventre, l'appréhension se lisant sur mon visage craintif.

— Madame Monique, avez-vous eu le temps de lire mon poème ?

— Quel poème ?

La frustration toute noire me brouillait les yeux. Je me suis mordu la lèvre. Je ne sais ni quels mots ni quel ton j'ai utilisés pour lui rappeler mon poème, sa promesse, son tiroir, mais elle l'a ouvert. Dans un recoin, enseveli sous des retailles de crayons de bois, il était là, tout fripé. On voyait le sourire niais du bonhomme Carnaval qui dépassait.

— Ah, ça ! Euh, non. Mais je vais le faire quand j'aurai le temps.

Le verdict était tombé avant même qu'elle ne lise quoi que ce soit. Elle avait décidé que ce n'était pas intéressant. Froissé parmi des factures, des fourchettes de plastique, des vieilles polycopies à alcool mauves, des stylos sans bouchons et des crayons rendus trop petits pour être utilisables, mon poème n'était bon qu'à disparaître parmi ces détritus dans le tiroir de l'oubli. J'ai compris qu'elle ne le lirait jamais. Elle l'avait condamné avant même de le lire. À ses yeux, je n'existais pas. J'avais beau être réservée, obéissante, docile et tranquille, tout ce que j'avais réussi à faire, c'était m'invisibiliser.

J'ai passé le reste de l'année à mépriser madame Monique, à faire la liste mentale de tout ce que je ne serais pas, avec elle comme principal contre-modèle. J'en accumulerais d'autres au fil des ans et je n'étais certainement pas prête à élever la voix, mais je savais d'ores et déjà que c'est de cette grogne que renaîtrait un jour la petite Caroline que j'avais enterrée. Je n'avais pas encore d'armes contre ces sentences, mais l'injustice me donnerait la rage nécessaire pour exister véritablement.

J'allais désormais exceller dans tout, par vengeance. Je me planterais là, à la face du monde, parfaite, jusqu'à ce que la colère déborde comme seule promesse de ne pas demeurer lettre morte.

## Dors Caroline

Moins d'un an plus tard, mon père obtenait un meilleur emploi dans une compagnie immobilière lui permettant de louer un sept et demie dans le quartier Hochelaga-Maisonneuve. Notre nouvel appartement se trouvait sur Sainte-Catherine Est, coin Dézéry, direct devant l'arrêt que faisait le camion de Pops pour les junkies et les putes du quartier, à côté du bar de danseuses. Ce n'était pas un bar de danseuses trendy où on voit des hommes d'affaires en cravate entrer avec leurs clients importants. C'était un bar sans enseigne, où dansait Manon qui n'avait plus toutes ses dents de devant, où Natalie laissait son fils jouer dans les coulisses pendant qu'elle faisait une p'tite vite à un flic en échange de sa clémence. Celui où dansait Gisèle, cinquante-cinq ans, cinq pieds trois et cent soixante-dix livres, depuis vingt hivers, derrière la vitre cassée depuis si longtemps que plus personne ne la remarquait.

C'était bien avant qu'on appelle ça HoMa.

HoMa, ostie.

Nous, on disait juste que c'était chez nous. Même si chez nous on se faisait voler continuellement. Même s'il fallait toujours rentrer avant le soir, parce qu'après dix-sept heures nos voisins d'en arrière étaient bien trop avancés et qu'en revenant de réparer des vieux chars bons pour la scrap, le vieux que j'haïssais avait souvent envie de taper son p'tit. Il l'appelait « ticrisse », en un seul mot. Ou « viens-icitte-mon-ticrisse-de-tabarnac-que-j'te-pogne ». On n'a jamais su son vrai prénom, ça fait que mon petit frère et moi on l'appelait *petit cochon* parce qu'on n'avait pas le droit de sacrer. Ça l'insultait trois fois plus que « mon ticrisse de tabarnac ». Va comprendre. Nous, on comprenait. C'était chez nous.

C'était chez nous parce qu'on connaissait le nom des putes, celles du soir pis les autres du matin. Elles cognaient des fois à notre porte l'hiver quand il leur arrivait une bad luck. Une bad luck autre que leur vie de misère, je veux dire. Comme de devoir se sauver et laisser derrière leurs souliers en plein hiver. On leur prêtait de quoi en attendant qu'elles se rendent chez elles, parce que la Sainte-Cath était venteuse et qu'il n'y avait pas de prince charmant qui viendrait les abrier. Déjà qu'elles étaient pas ben ben habillées. On me demande souvent si c'est de ça qu'une petite fille se souvient : de leurs petites tenues, leurs phrases provocantes, leurs bas résille, leurs seins parfois exhibés en sortant des voitures. Non. Je me rappelle surtout leurs mains. La saleté noire et rose sous leurs ongles vernis tout écaillés. Leurs doigts longs et squelettiques. J'en ai jamais vu porter de gants, même à moins vingt. Sauf Natalie, quand elle allait porter son gars à l'arrêt de bus scolaire. Dès qu'elle prenait la rue, elle enlevait son manteau et ses mitaines et on voyait alors ses ongles souillés et cassants, ses mains rêches.

Quand la chanson *Dors Caroline* est sortie en vidéoclip, je me suis écriée : « Heille, c'est chez nous ! » J'avais pas compris que dans *Dors Caroline / Il neige à Brooklyn / Et les enfants perdus / Ont envahi les rues*, Brooklyn c'était à New York, je croyais qu'« il neige à Brooklyn » était une façon de dire « il neige en titi » et je pensais avoir reconnu le pont Jacques-Cartier. J'étais fière pas rien qu'un peu. Sauf que chez nous y avait aucune des filles qui ressemblait à Caroline, joufflue, la peau rose et les cheveux propres, comme si elle venait juste de sortir de chez ses parents à Boucherville. Les putes chez nous avaient juste l'air d'avoir froid tout le temps.

HoMa, ostie, j'en reviendrai jamais.

C'était chez nous parce que les junkies du coin, on savait les reconnaître et comment dealer avec, avant même la quatrième année du primaire. On savait qu'il ne fallait surtout pas appeler la police, juste les laisser décanter leurs blessures tranquilles. Ils ne nous feraient rien si on ne leur parlait pas, si on ne les provoquait pas. De toute façon, c'étaient tous des peureux, les junkies. La honte et la frayeur se lisaient dans leur regard qui tombait à terre comme s'il en avait déjà trop vu.

Hochelag', c'était surtout juste chez nous. Bétonné, crade, frette, poussiéreux. Ça puait tout le temps sur Sainte-Catherine Est. Les roteux, la marde de chien, la pisse de gars saoul, le sperme séché, les vieilles botches de cigarette, la bière cheap tablette, les vidanges qu'on met sur le bord du trottoir n'importe quel jour, l'enfermé même dehors. Ça sentait la scrap. Ça sentait la misère. Il y avait personne de perdu à Hochelag'. Tout le monde était emprisonné dans la dèche, captif de son passé, séquestré par la vie, reclus dans sa solitude.

Mais au 3249 Sainte-Catherine Est, il y avait une famille qui riait à gorge déployée, toujours de la musique pour danser et, juste avant la prière du soir, on y racontait des histoires aux enfants avant d'aller dormir, des histoires en espagnol qui finissent bien. Je dormais sur mes deux oreilles, j'avais des bottes pour affronter l'avenir et des gants pour les matins frimas. C'est vrai que les mains de ma mère étaient desséchées comme celles des filles du coin de la rue et que son vernis s'étiolait. Sauf que les siennes avaient l'odeur des produits ménagers au faux parfum de citron qu'elle utilisait chez ses clients et de toute la nourriture qu'elle cuisinait une fois rentrée à la maison; le riz, les oignons, l'ail. Ça sentait chez nous. Ça sentait l'immigrante, ça sentait le sacrifice, la communion, l'hostie.

## Opération beurre de peanut

Nos parents ne travaillaient plus de nuit, mais souvent le soir. Nous n'avions toujours pas nos papiers et mon grand frère, qui avait l'âge d'aller au cégep, devait le payer comme un étudiant étranger. C'était cher et pour payer ses études, il était devenu busboy. Après ses cours, au lieu d'étudier, il devait, comme mes parents, laver le sale et le souillé des autres.

Mon petit frère et moi serions désormais seuls des soirs entiers, jusqu'à vingt-deux heures, ce qui nous semblait être le milieu de la nuit. Dès la première fois, nous nous sommes couchés dans le grand lit de mes parents et avons regardé des émissions inappropriées comme *Operation nine-one-one* et *Dossiers mystères*, juste des trucs louches qui foutaient la trouille. La peur au ventre, nous nous sommes collés devant la télé pour regarder les catastrophes des autres. J'imagine que c'était plus facile d'avoir peur de drames d'étrangers que d'affronter nos démons, qui vivaient dans la ruelle derrière ou se promenaient devant notre appartement dès la nuit tombée.

Comme si ce n'était pas assez effrayant d'être seuls la porte barrée passé vingt heures, je montais le son du téléviseur au maximum. Si chaque coup de feu nous ébranlait, nous pouvions au moins tranquillement craindre pour un petit voyou afro-américain qui se fait battre par la police blanche de Baltimore plutôt que d'entendre notre voisin crier « Mon esti, m'a le tuer, côliss, m'a le tuuuuueeeerrrr ».

Chaque fois que nous nous retrouvions seuls dans la pénombre de l'appartement, nous avons regardé ces émissions parce qu'avec elles nous étions en territoire connu et qu'au lieu de nous imaginer le pire, nous pouvions le voir, l'appréhender. Nous pouvions compter sur le grand lit de nos parents, oasis et barricade devant l'hostilité du dehors, pour contenir nos corps tremblotants. Au fond de la chambre qui donnait sur la ruelle pavée de béton, de bouteilles cassées et de vieilles botches, nous pouvions nous en remettre à la télévision pour exorciser notre solitude et faire dévier nos craintes. Nous pouvions nous reposer sur des drames improbables se jouant loin de chez nous et dans une autre langue plutôt que de penser au fait que nous étions vulnérables, esseulés et armés d'une simple télécommande et de nos petites mains entrelacées. Avec *Dossiers mystères* ou *Operation nine-one-one*, nous finirions par nous endormir.

Sauf que la première fois, j'avais peur quand même. C'était moi la grande sœur et je savais que mon petit frère ne devait rien voir de mes craintes. J'avais bien appris de mes parents à ne pas montrer ces points de rupture où la fragilité rencontre l'abattement. Je devais prendre soin de lui comme les femmes avant moi l'avaient fait avec leurs familles, ce qui se traduisait chez les Latinas par offrir de la nourriture. J'ai donc coupé des tiges de céleri. Je les ai remplies de beurre d'arachide. Je les ai placées en rond dans une assiette comme sœur Angèle me l'avait montré à la Télévision Quatre-Saisons. Nous les avons mangées en écoutant nos émissions jusqu'à tomber d'épuisement devant l'écran encore allumé.

Les Chiliens ne mangent pas de crudités, surtout pas comme ça, en collation. Ni de beurre d'arachide d'ailleurs. Ma mère, en rentrant à la maison après une double journée de travail et voyant les restants de bâtonnets de céleri remplis de beurre d'arachide dans un style culinaire on ne peut plus années 1980, nous a tendrement regardés dormir ensemble dans son lit queen, en se disant sans doute que nous étions donc bien intégrés.

## Sky's the limit

Nous étions au cours d'éducation physique, à la piscine intérieure du bain Morgan. C'était le petit matin, première période, j'avais encore les yeux mi-clos. Je me changeais sans empressement et la surveillante qui nous accompagnait a entrevu une tache plus foncée à mes aisselles. Immédiatement, cette femme qu'autrement j'aimais en a informé l'enseignante qui s'est empressée de me demander de lui montrer mon aisselle. Par surprise, pudeur, dignité ou obstination enfantine, ça n'a pas d'importance, j'ai refusé et la surveillante a levé mon bras pour le montrer à l'enseignante d'un air victorieux quand ma tache a été exhibée.

J'ai compris que mon refus allait être utilisé contre moi. J'ai compris qu'avant même que je parle, ces dames qui voulaient mon bien supposaient qu'on se faisait battre dans nos familles. Qu'à leurs yeux, le spectre de la violence envers les enfants était une possibilité permanente. Que la maltraitance faisait partie de l'équation. En ne pensant pas d'abord que les peaux brunes pouvaient juste être comme ça.

Elles m'ont questionnée tandis que j'étais nue ; puis à plusieurs reprises durant le cours d'éducation physique et encore un peu pendant les périodes subséquentes ce jour-là. Elles ont fini par me laisser partir, mais je voyais l'ombre de l'incertitude dans leur regard. Elles m'ont scrutée du coin de l'œil durant des jours. Épiée, traquée, j'agissais tout de même nonchalamment comme si je ne voyais pas l'interrogation qui ne quittait plus leurs visages. J'ai passé mes journées à démontrer que j'étais heureuse, enjouée, à écouter attentivement en classe en noircissant mes cahiers Canada: parler en bien de mes parents pour leur éviter des ennuis, raconter les soupers familiaux aux chandelles certains soirs d'hiver, les rires pétillants de ma mère, l'intelligence étincelante de mon père. Démontrer que ma famille était unie, mais pas trop pour que ce ne soit pas louche. Nous blanchir de tout soupçon.

Sur le qui-vive, j'ai passé mes journées à perfectionner mon numéro, à peaufiner mon personnage. Je continuais mon manège même quand je n'étais pas observée, même dans l'obscurité. Ma prestation était irréprochable. À la nuit tombante, j'étais exténuée.

Pour éviter que ça se reproduise, j'ai poli tout ce qui pouvait attirer l'attention. Effacé ce qui sortait de leur normalité. Nettoyé ce qui ne faisait pas partie de leurs points de référence. Le fardeau de la preuve reposait sur la petite immigrante de neuf ans en costume de bain jaune une pièce, qui frissonnait dans le demi-jour sous les néons intermittents de la piscine Morgan.

J'ai donc appris à me tenir dans la pénombre, à vivre à contre-jour, à mener une vie reflet. À ne plus jamais lever les bras au ciel.

## Le frère André

Tous les jours, le même trajet, la route identique en tous points, pas de bifurcation. Le chauffeur de l'autobus jaune de l'école primaire Maisonneuve ne nous faisait pas de cadeau. Il était jeune, se fichait des enfants qu'il embarquait et roulait à vive allure. Il avait une job, ce qui était assez rare pour les gars de son âge dans le quartier ; ça lui donnait une certaine dignité au fond de ses yeux bleus. Il avait un travail légal, fallait pas lui demander en plus d'être poli ou jovial. Il était ponctuel, n'avait pas d'antécédents criminels ; qu'est-ce que ça pouvait faire qu'il ait la mèche courte ?

Nous, les enfants, ne connaissions même pas son nom. Lorsque mon ami le lui avait demandé, il avait rétorqué : « Quéssé que ça peut te faire ? Embarque dans mon bus, farme ta trappe pis ouvre pas la fenêtre, y a plein de bibittes dehors. » C'était un gars d'Hochelaga, blasé et sur la défensive, trouvant la gentillesse louche et sachant trop bien qu'il est toujours plus prudent de rester anonyme.

Chaque soir on montait dans « son » bus. Les Haïtiens, les Vietnamiens et les Latinos le saluaient toujours d'un courtois « Bonjour monsieur ». Il répondait d'un signe de tête, le même qu'il offrait aux « Allô » épars des Québécois les plus avenants. Il nous laissait généralement chahuter sans exercer trop de discipline, mais il avait *ses jours,* où il pouvait se fâcher solide pour presque rien. Dans ce temps-là, nous disions par moquerie qu'il était dans sa semaine, sans nous rendre compte que sa semaine coïncidait invariablement avec la paye qui ne rentrait pas pour le loyer du premier du mois. Ces moments étaient faciles à prévoir. Durant les jours précédents, il avait le klaxon plus sensible et nous l'entendions maugréer derrière le volant. Il suffisait qu'un petit ouvre la minuscule fenêtre inutile et sorte sa main à l'extérieur pour qu'il fulmine, nous menaçant d'arrêter l'autobus sur le bord du chemin et de nous abandonner là. Si ce n'était pas exactement de l'éducation bienveillante, ça avait le mérite d'être efficace. Durant ces jours ruminants, nous savions que nous ne devions pas, comme il le disait, le faire chier avec nos enfantillages, mais nous tenir les fesses serrées.

Nous savions que c'était une de ses journées furibondes et tempêtées quand il avait déjà usé de son « vos yeules » à deux reprises alors que nous nous étions un peu trop agités à son goût. Sauf que ce jour-là, notre chauffeur avait emprunté un chemin différent. Je ne sais pas s'il y avait trop de neige, de la construction, s'il s'était tanné de sa route comme du reste de sa vie ou si, consumé par les pensées qui le grugeaient à la fin du mois, il s'était juste trompé de chemin. Dans tous les cas, je n'avais pas reconnu ma rue lorsqu'il y était passé du côté sud plutôt que du côté nord comme il en avait l'habitude et avait stoppé l'autobus après la caserne de pompiers plutôt qu'avant. Je commençais à m'inquiéter en regardant ma montre turquoise. Nous avions dépassé l'heure de mon arrêt. J'avais les minutes anxieuses, mais je ne voulais pas le déranger et je me suis naïvement dit qu'il reviendrait bien à l'endroit exact où il devait me déposer, sachant pourtant que c'était hautement improbable.

Ma patience rivalisait avec une certaine angoisse qui grandissait au rythme des enfants qui débarquaient de l'autobus. Bientôt il n'y aurait plus personne et je commençais à avoir envie de pipi. J'ai bien failli aller le voir, mais plus nous nous éloignions de chez moi, plus je me disais qu'il allait se fâcher. Je ne reconnaissais même plus où nous étions rendus. Scotchée à ma place, je ne disais rien, me faisant toute petite sur le banc inconfortable, fixant la fenêtre et son horizon égaré. Je priais pour qu'il fasse miraculeusement demi-tour quand il irait reporter l'autobus là où ils vont se reposer toutes les nuits. Évidemment, ça n'arriverait pas, je le savais et je retardais le moment de la confrontation.

À la fin, il ne restait que moi. J'ai croisé ses yeux dans le rétroviseur. Ses sourcils froncés, son air interloqué d'abord, puis franchement énervé: «Qu'est-ce tu fous encore là?» Je lui ai répondu doucement, sans comprendre que de jouer la petite fille vertueuse était le meilleur moyen de l'irriter davantage.

— C'est parce que vous avez pas vraiment arrêté à mon arrêt, monsieur.

— Heille, tabarnak d'ostie, j'ai mon voyage. J'ai arrêté de l'autre bord d'la rue, c'est la même asti d'affaire.

— Mais monsieur, de ma fenêtre c'est pas c'que j'ai vu.

Il a soupiré toute sa lassitude, non sans me jeter un regard assassin au préalable. Le reste de la route s'est fait dans un silence complet. Mon envie de pipi n'en était que plus grande, mais j'aurais préféré mourir que de le lui avouer. Irrité, il a gardé le front plissé et sa moue frustrée pendant ce qui m'a semblé un hiver complet, conduisant son autobus brusquement, l'air visiblement excédé, comme pour me faire sentir encore plus coupable que je ne l'étais déjà.

Pour ne pas pisser dans mes culottes roses à motifs de l'héroïne Candy, je justifiais ma méprise : j'avais appris le chemin par cœur, compté les arrêts, repéré chacun des magasins qui m'indiquaient le bon chemin. Je m'assoyais toujours à la même place, avant-dernier banc à gauche et savais exactement où je descendais. Je suivais les consignes à la lettre et personne dans l'histoire de ma courte existence ne m'avait avertie que je devais regarder des deux côtés.

J'aimais l'école et tout ce qui l'entourait parce que le monde extérieur était une jungle et qu'au moins le cadre scolaire m'apprenait des règles, certes parfois aléatoires ou même stupides, mais que l'on pouvait facilement suivre. Je n'avais cependant pas compris qu'il y avait plusieurs vérités et que je devais toujours en être consciente. J'ai cependant réalisé que je ne réussirais jamais à tout prévoir, pas plus que je ne pourrais appréhender mon environnement avec une nonchalance naturelle. Je devais ouvrir l'œil et surtout ne jamais cligner.

Dans un silence tendu, le chauffeur m'a reconduite jusqu'à mon arrêt habituel, du bon côté de la rue. Arrivée à destination, je ne pouvais plus maintenir mon mutisme. J'ai descendu les marches et juste avant qu'il ne referme la porte grinçante, je lui ai dit d'une voix reconnaissante :

— Merci, monsieur. Et je m'excuse du détour.

— C'correct... Comment tu t'appelles ?

— Caroline.

— Carolina ?

— Non, Caroline.

— Bon ben, bye, Caro, moi c'est André.

— Oh ! Comme le frère André ?

— Le frère d'André ? C'est qui ça ?

— ... Euh, rien, c'est personne.

Je lui ai fait signe de la main. Il m'a offert un sourire forcé avant de refermer la porte qui faisait le bruit d'un cochon sacrifié. Frigorifiée, j'ai couru jusqu'à chez moi, j'ai sonné, mais juste avant que ma mère ne débarre la porte, directement sur les marches, j'ai pissé dans mes culottes. Quand elle a vu une larme couler sur ma joue, elle l'a attribuée à la honte que provoquait l'écoulement chaud qui descendait de mes pantalons à mes bottes mauves. Je ne lui ai rien raconté de mon incapacité à reconnaître le quartier que nous habitions pourtant depuis déjà deux ans ni de mon chauffeur qui ne savait même pas qui était le frère André que ma mère allait visiter une fois par mois en montant les marches de l'oratoire Saint-Joseph à genoux, même si Côte-des-Neiges était à l'autre bout du monde. De toute façon, elle ne m'aurait pas crue.

Le lendemain matin en entrant dans l'autobus, le chauffeur était à nouveau de bonne humeur. Les nuages de courroux étaient passés.

— Bonjour monsieur.

Il a hoché la tête.

— Carolina.

Je me suis assise sur un banc à l'avant du bus, et je ne l'ai pas corrigé.

# Dis-moi le nom de ton cavalier

Nous nous mettions à glousser comme seul un groupe de fillettes complices peuvent le faire chaque fois que celui que nous appelions « notre cavalier » venait à notre rencontre. Précis comme une horloge, il avait habitude de se pointer régulièrement les matins à exactement huit heures cinq. C'est moi qui l'avais baptisé. En quatrième année, je ne savais pas qu'un cavalier définissait quelqu'un à cheval, j'avais seulement associé cela à quelqu'un qui détale, qui part en cavale. Chaque fois que la cloche sonnait, ce monsieur anonyme s'éclipsait si vite que je l'avais surnommé le cavalier. Mes amies avaient rigolé et comme il accompagnait désormais la plupart de nos matins, elles avaient ajouté « notre » en adoptant son surnom. Il avait la jeune quarantaine et, comme dans un mauvais film, portait un long imperméable beige lui arrivant aux tibias, incarnant ainsi parfaitement le cliché du petit prédateur sexuel exhibitionniste.

Depuis un mois, il passait inaperçu aux yeux des chauffeurs d'autobus, des surveillantes et de tous les adultes qui veillaient sur la cour de récréation de l'école primaire. Nous, les quatre filles de cinquième année, l'avions repéré dès le premier jour à cause de ses tics nerveux, ses regards furtifs, son excitation palpable et son air coupable. Il avait l'habitude d'attendre à côté de la clôture, près des buissons qui piquent et pas trop loin des autobus scolaires parqués à la queue leu leu. Il attendait que le peu de parents présents aient déserté les lieux, laissant les garçons à leur ballon-chasseur et les filles à leurs marelles répétitives, pour se rapprocher de nous.

Il avançait lentement, regardant sans cesse d'un côté et de l'autre comme une bête traquée alors que personne ne lui portait attention, sauf nous, la gang des petites filles placoteuses, empêtrées dans nos foulards roses et nos barrettes à motifs, nos tresses françaises déjà défaites en dessous de nos tuques et de nos cache-oreilles avant huit heures trente le matin. Il réussissait à ne se montrer qu'à nous et nous le guettions chaque fois d'un peu plus près, comme on le ferait pour un animal à apprivoiser. Il attendait, impatient et anxieux, que le temps s'égrène, nous évitant des yeux jusqu'au dernier moment. Dans la minute précédant la cloche annonçant le début des classes, ce dernier instant où on avait à peine le temps de voir les garçons échanger une carte de Wayne Gretzky contre une de Mario Lemieux, il ouvrait grand son imperméable beige.

Ça devait faire environ un mois qu'il venait nous visiter à coup de deux ou trois fois par semaine. Nous connaissions ses habitudes, et lui, les nôtres. Après notre première rencontre où nous étions restées abasourdies, nous nous étions faites à l'idée d'un déjanté de plus dans le quartier. Il se plantait un peu en retrait devant l'école comme un arbre immobile et solide, beau temps, mauvais temps, et nous nous étions tranquillement habituées à sa présence fidèle. C'était même rendu qu'on saluait intérieurement son audace, octobre étant toujours frisquet, même sous nos multiples pelures de polar et cotons ouatés. Il fallait vraiment être coucou pour continuer son petit manège sous les cordes de pluie d'automne, pensions-nous. Au fil des jours qui se refroidissaient, nous en étions venues à ressentir une pitié mêlée à un certain respect devant l'engagement constant de notre pauvre cavalier.

Ce matin-là n'a pas fait exception. C'était le mardi du retour à l'école après le congé de l'Action de grâce et nous n'avions pas vu notre cavalier depuis déjà quelques jours. Les feuilles étaient soudainement tombées des arbres matures en une fin de semaine et, parsemées au sol, leurs couleurs recouvraient d'un peu d'ocre l'asphalte de notre cour d'école. Malgré la température fraîche, une magnifique lumière d'automne caressait le visage de mes amies. Ju venait de croquer dans sa pomme – son seul petit déjeuner durant tous les mois d'automne, remplacé par une banane en hiver – quand Mimi s'est écriée : « Y'est là ! Notre cavalier est revenu ! »

« T'as vu, Caro, y'a un foulard carreauté de monsieur astheure », m'a dit Cathou avant que je me retourne pour le voir. C'était vrai, notre cavalier avait mis une écharpe tartan bordeaux et forêt, qui faisait ressortir le beau vert de ses yeux apeurés. Il savait son temps compté et nous cherchait désespérément du regard. Nous nous étions cachées derrière l'entrée principale, là où il faudrait prendre notre rang dans un semblant de silence énervé dans exactement cinq minutes, lorsque la cloche viendrait mettre fin à nos jeux. Mimi a demandé au groupe : « Alors on reste cachées ? » Ju a pris le temps de finir sa pomme et après l'avoir nonchalamment jetée par-dessus la clôture, elle a répondu : « Chais pas, j'ai comme envie de voir. »

— On l'a déjà vue, Ju.

— Oui mais là il fait vraiment frette. J'en ai jamais vu une quand il fait vraiment froid. À ce qu'il paraît, ça ratatine !

La surveillante se tourna vers nous. Nos rires en cascade ne pouvaient trahir le sujet de notre conversation. « Ok d'abord, mais on attend à la dernière minute », trancha Cathou.

Nous nous sommes mises à observer chacun des mouvements de la surveillante, qui gelait à côté des petits de première année en tournant d'une main la corde à danser et en tenant le bord de son chandail blanc à col roulé devant sa face de l'autre. Elle ne porterait pas de manteau avant le 2 novembre, nous ne savions trop pourquoi et personne ne le lui demanderait. Dans mon hood, on ne posait pas ce genre de questions. Ce qui nous intéressait, c'est quand elle afficherait un sourire de soulagement en regardant sa montre pour la dixième fois. Ça voudrait dire que la cloche allait sonner et qu'on n'aurait pas à s'attarder devant notre cavalier. En alerte, nous avons scruté chacun des tours de la corde qui dansait au rythme des comptines des fillettes : *Crème à la glace, limonade sucrée...*

Nous étions exaspérées, replaçant frénétiquement nos gants en fausse laine de chez Croteau et remontant nos foulards en sautillant sur place pour nous réchauffer. Il commençait à tomber une pluie fine, comme si la bruine du matin avait décidé de nous dégringoler dessus, froide et désagréable. « Oh non, je verrai rien », se lamenta Mimi en essuyant tant bien que mal les gouttelettes de pluie qui s'accumulaient sur les verres épais de ses grosses lunettes.

J'étais en train de perdre patience quand Ju me donna un coup de coude en s'exclamant « Ça y est, go ! ». La surveillante ne souriait plus quand j'ai tourné ma tête vers elle, mais je faisais confiance à Ju. Nous nous sommes précipitées à quelques mètres de notre cavalier. Il regardait partout, l'air affolé, en frottant ses mains l'une contre l'autre pour se réchauffer, une clope entre ses lèvres. Lorsqu'il a arrêté de frictionner ses doigts, on a su qu'il nous avait trouvées. Il a jeté sa clope par terre sans même prendre le temps de l'écraser avec son talon pour l'éteindre. « Ok les filles, préparez-vous, a dit Ju, il va sortir sa graine. »

C'est ce qu'il a fait. Il a ouvert son imperméable beige en même temps que Ju finissait sa phrase. J'ai vu son chandail de laine brun avec des bouloches. En dessous, on voyait dépasser le col d'un t-shirt blanc. Lui aussi avait plusieurs pelures, mais ne portait pas de pantalons, pas de caleçons, seulement de longs bas qui lui arrivaient presque aux genoux, un peu comme les joueurs de soccer que mon père regardait à la télé. Il doit avoir froid, ai-je pensé.

« Est même pas ratatinée ! » Mimi avait raison et nous étions impressionnées : son pénis était bandé, malgré la température, malgré la pluie, malgré les quatre petites filles prépubères qui ricanaient en se couvrant la bouche. La cloche a retenti. Aussi précipitamment qu'il l'avait ouvert, notre cavalier a refermé son imperméable, tourné les talons et déguerpi avant que quelqu'un d'autre le voie. C'était si rapide que je me suis demandé si nous n'avions pas tout imaginé ; son sexe, ses poils, son affront.

Le petit manège aurait pu se poursuivre au-delà de l'hiver si ça n'avait été de Cathou. Elle avait un kick sur Simon, un beau petit garçon de notre classe, parfait en tous points, mais bien insistant. Il ne l'avait pas lâchée quand il l'avait vue rire au lieu de se mettre en rang pour entrer dans l'école. Elle lui avait expliqué que c'était un secret, mais cela n'avait eu pour seul effet que de raviver sa curiosité. Il la talonna tant et tant que rendue aux casiers, elle finit par céder en lui confiant l'essentiel de notre aventure matinale avec le cavalier.

Si à la place de Simon elle avait eu un kick sur Yannick, l'équivalent du bum Ti-brin dans notre année, sur Roméo qui faisait de la lutte avec le nouveau chum de sa mère ou en fait sur n'importe quel autre garçon de la classe, l'histoire ne serait sans doute restée qu'une drôle d'anecdote ignorée des adultes. Mais Simon venait d'un autre milieu, aussi bien dire d'une autre planète: ses parents étaient mariés et encore ensemble, il était enfant unique, aimé de ses père et mère qui lui donnaient tous deux toute l'attention qu'ils pouvaient. Impliquée dans le comité des parents de l'école et toujours la seule volontaire dans les sorties scolaires, sa mère était infirmière à temps partiel. Elle venait le chercher dans la cour, à peine l'école terminée. Elle était le genre de mère qui demande à son fils « comment ça a été aujourd'hui, mon amour » en lui donnant un fruit comme collation. Je ne sais pas quel emploi occupait son père, mais il y allait en chemise blanche comme s'il allait à la messe, après avoir reconduit Simon à l'école en voiture le matin. J'imagine que son père devait être le type d'homme à faire la conversation au souper et demander à chacun de raconter sa journée. Toujours est-il qu'évidemment le parfait Simon a ouvert sa trappe.

Je ne peux que m'imaginer la face de ses parents, abasourdis par la nouvelle: un prédateur sexuel exhibait son sexe aux petites filles d'une école primaire depuis des semaines, sans que personne le sache. Il va sans dire que le lendemain matin ce n'est pas notre cavalier qui nous a accueillies dans la cour, mais les deux femmes les plus redoutées de l'école: la surveillante et la directrice.

Nous avons dû subir des interrogatoires interminables où nous racontions cent fois la même chose, ensemble et à tour de rôle. C'était la directrice qui posait les questions et elle m'avait gardée pour la fin.

— Il arrive à quelle heure l'homme à l'imperméable ?

— Juste avant la cloche, madame.

— Tous les jours ?

— Non, pas tous les jours.

— Quels jours ?

— Je sais pas. Des fois il est là pis d'autres fois il est pas là. On sait jamais d'avance.

— Et qu'est-ce qu'il fait ?

— Rien.

— Comment rien ? Il a fait quoi la dernière fois ?

— Il a rien fait. Il fait jamais rien.

— Il n'a pas ouvert son manteau ?

— Oui.

— C'est pas rien ça.

— Ah, ok.

— Alors continue. Il a fait quoi ?

— Ben il a ouvert son manteau.

— Ok. Et après ?

— Rien.

— Il vous a montré son sexe ?

— Ben non.

— Non ?

— Ben non, ben oui. Mais c'est parce qu'en fait, il nous le montre comme pas. On l'a vu parce qu'il a pas de culottes. Il fait juste être là avec pas de culottes.

— Et il se touche ?

— Quoi ?

— Est-ce qu'il se touche ?

— Je comprends pas.

— Quand il vous montre son pénis, est-ce qu'il se touche ?

— Euh non. Ben il peut pas vu qu'il tient son manteau.

Je ne savais même pas ce que ça voulait dire « se toucher ». Ça m'a semblé dégoûtant. Pourquoi elle me demandait ça ? Pourquoi il aurait fait ça ? Durant leur interrogatoire, la directrice était devenue si sérieuse qu'on aurait dit que j'avais fait quelque chose de mal. Je viraillais sur ma chaise, inquiète. Peut-être aurais-je dû prétendre qu'il s'était touché ? J'étais au moins soulagée qu'elle ne nous demande pas pourquoi nous n'avions pas averti les adultes. Elle savait que dans notre quartier, on n'appelait ni les policiers ni les flics que représentaient pour nous les surveillantes.

Parfois les gens me demandent à quel moment je suis devenue politisée. Dans notre coin, la politique cognait à la porte de nos vies et cassait des fenêtres quand on ne regardait pas. Elle était là quand on perdait notre cache-cou et que c'était un petit drame pour le budget familial, quand on croisait enfin nos voisins fantômes à l'épicerie le premier du mois, quand on donnait notre berlingot de lait le matin à notre amie dont la mère s'était fait slaquer à l'une des usines qui fermaient, quand on croisait les flics sur Sainte-Catherine qui arrêtaient les grands frères des filles du camp de jour devenus des petits pimps, mais qui laissaient les autres à terre, devenus junkies, chaque fois qu'on changeait de gouvernement et que mes parents n'avaient pas le droit de vote. Il n'y avait pas la vie d'un côté et la politique de l'autre. Il y avait les adultes et leurs règles et nous, qui tentions de nous déployer dedans en sachant le monde injuste, le pouvoir malfamé et l'autorité louche.

— Bon. Et après ?

— Après quoi, madame ?

— Après qu'il vous ait montré son pénis, il a fait quoi ?

— Rien. Euh, je veux dire, il est parti. Il s'en va toujours direct quand la cloche sonne.

— Et toi ?
— Moi quoi ?
— Qu'est-ce que tu as fait quand il vous a montré son pénis ?
— J'ai ri.
— TU AS RI ?
— Ben oui, juste un petit peu.
— Qu'est-ce qu'il y avait de drôle ?
— Rien. Juste son truc.
— Son truc ? Quel truc ?
— En dessous de son manteau.
— Son pénis ?
— Oui.
— C'est drôle un homme qui vous montre son pénis ?
— Je sais pas. Non ?
— Non.
— Ok.

Après toutes ces questions, je me sentais un peu sale, alors je n'ai plus rien dit. J'avais peur de me faire chicaner et j'avais juste envie de pleurer. La directrice l'a vu et elle m'a laissée retourner en classe. Je ne sais pas si c'est par peur des représailles, mais nos parents n'ont jamais été avertis et ce n'était certainement pas nous qui allions bavasser. Ce qui est sûr, c'est qu'à partir de ce jour-là, nous ne pouvions plus être tranquilles, la surveillante nous épiait sans cesse. Comme filles, chacun de nos mouvements était scruté, chaque rire était suspect. Les flics qui ont commencé à stationner à côté de l'école se sont mis à observer nos jeux à leur tour. Si l'homme à l'imperméable est revenu, nous ne l'avons plus jamais revu.

Nos matins sont redevenus ennui. Pour passer le temps, nous avons recommencé à sauter machinalement à l'élastique en criant « p.i.z.z.a., pizza ». Quelques mois plus tard, les murmures de Polytechnique résonneraient dans les médias et tout le monde aurait oublié cette histoire d'imperméable. Les adultes n'ont jamais appris que nous avions nommé le monsieur « notre cavalier » tandis que nous, nous n'avons jamais su son nom ni si son pénis ratatinait dans les températures sous zéro.

## L'été de mes onze ans

Malgré son emplacement coin Morgan et Adam, un secteur très francophone, et parce qu'elle était protestante, ma dernière école primaire était une des plus multiethniques de Montréal, ce qui n'était clairement pas le cas du camp de jour les Ratoureux, le moins cher du quartier. Je ne savais pas ce que « ratoureux » voulait dire et j'étais un peu choquée que le mot *rat* soit dedans, comme une allusion côté racaille de leur camp de pauvres. Nous y étions inscrits pour quelques semaines l'été avec les autres enfants du coin : des p'tits culs qui sacraient en arrivant en retard avec les mêmes shorts souillés que le jour d'avant, la tête pleine de poux et le cœur d'amertume. C'était bruyant, intense, souvent violent, mais on jouait dehors et surtout, on allait régulièrement se baigner, alors ça m'allait.

Je m'étais fait quelques copines, pas de grandes amitiés, mais des filles avec lesquelles je pouvais blaguer. Je ne me souviens ni de leurs prénoms ni de leurs visages, probablement encore des Isabelle, des Julie, des Karine interchangeables et semblables à toutes les autres autour de moi. Des filles anonymes qui ne changeraient pas ma vie, mais qui me tenaient compagnie et, dans le bazar que constituait le camp de jour, parfois même la main. Je ne parlais presque jamais aux garçons, ils étaient bien trop rudes, surtout Tommy. De lui, je me souviens.

Tommy était gros, mais pas du type gros-et-en santé, gros-et-heureux ou même gros-et-bien-dans-sa-peau ; gros comme peuvent l'être les pauvres, des gros qui ont continuellement faim. Souvent dans son lunch il n'y avait qu'une cannette de Pepsi et un gâteau Vachon. Il était agressif, colérique, méchant. Il criait au lieu de parler, pétait des crises de bacon à terre comme s'il avait deux ans, sauf qu'il en avait neuf de plus. Il n'avait pas de père, était négligé par sa mère et maltraité par la vie, mais terrorisait à son tour les enfants du camp, surtout les plus petits, chaque fois qu'il en trouvait l'occasion. Moi je m'en sacrais de son côté dur, j'avais pitié de lui. Chaque jour je regardais ses lunchs et toute la rancœur qu'il accumulait et, comme une vraie catho de Latina, je me disais avec miséricorde, pauvre enfant, pauvre enfant, pauvre enfant. Je ne pouvais m'empêcher de me demander quel genre de mère envoie son fils au camp l'air d'avoir passé la nuit sur la corde à linge, un t-shirt sale sur le dos, avec dans un sac de plastique, une boisson gazeuse et un gâteau industriel. À l'époque, je n'avais pas compris que sa mère ne l'envoyait pas au camp avec ce repas, mais avec juste pas de lunch pantoute et qu'il s'arrangeait par lui-même au dépanneur du coin. Pauvre enfant, pauvre enfant, pauvre enfant.

Au milieu de l'été, au bout de trois jours de pluie ininterrompue, l'énergie était électrique au camp. Les moniteurs d'à peine dix-sept, dix-huit ans ne savaient plus quoi faire pour canaliser notre ennui transformé en agitation et un snoreau a eu la bonne idée de nous faire jouer au drapeau, jeu que je détestais, dans le gymnase trop petit. Usant de psychologie, notre moniteur a voulu donner à Tommy un peu de contrôle sur sa réalité et l'a nommé chef de l'équipe des Rouges. Un autre garçon timide, renfermé et plutôt rejet serait quant à lui le chef des Bleus. À tour de rôle, chaque enfant devait se bander les yeux et venir piger un foulard de l'une ou l'autre des couleurs pour le glisser ensuite dans la ceinture de son short, comme une queue qui le lierait aux autres membres de son équipe : d'un côté les Bleus, de l'autre les Rouges.

Je me suis avancée, me foutant de l'équipe où j'aboutirais, je me suis voilé les yeux et j'ai pris un des foulards dans la boîte. Je n'ai pas eu le temps d'enlever mon bandeau que j'ai entendu Tommy crier. Ça a retenti dans toute la pièce, rebondi au plafond avant de m'atteindre en pleine poitrine : « Oh non, sacrament ! Pas la grosse négresse ! »

Il a crié mes coordonnées sociales dans le gymnase humide. Lui aussi était gros, mais il pouvait me dominer ; moi, en plus d'être boulotte, j'étais une fille et j'étais brune. J'étais indésirable.

Plus d'un quart de siècle plus tard, je me souviens dans ma chair de l'effet de ses mots. Je me souviens de sa voix cruelle. De sa coupe de cheveux avec sa queue de rat tressée sur sa nuque. De ses yeux bleus aussi perçants que menaçants. De la façon dont il se débattait comme un diable dans l'eau bénite quand il se sentait traqué. De ses lunchs faméliques et de ses joues toujours sales. De sa rage au cœur. Je me souviens de son prénom et de son nom de famille alors que lui, s'il est encore vivant, a sûrement d'autres chats à fouetter et n'a aucun souvenir de mon existence.

Un petit bully qui me faisait pitié avait réussi à m'humilier devant tout le monde et même si tous ces gens ne représentaient rien pour moi, je crevais de honte. Je n'ai pas voulu rétorquer, j'étais mortifiée et une part de moi se doutait bien que la vie s'en chargerait bien toute seule.

À l'heure du dîner, pendant qu'il était en punition dans le coin du gymnase, seul avec un moniteur qui tentait de le convaincre de s'excuser, j'ouvrais ma boîte à lunch. C'était une bonne journée, j'avais une pomme, des morceaux de fromage coupés avec amour par ma mère, un jus de raisin, une petite boîte Sunmaid avec la fille blanche au gros chapeau rouge et un sandwich au thon plein de mayo, exactement comme je l'aimais.

Lui, il avait onze ans et c'était écrit dans le ciel qu'il resterait toute sa vie un pauvre diable. Qu'il deviendrait un voyou frustré et misérable. Entre la drogue, la prison et l'itinérance, je n'ai pas pensé au pire scénario, parce que même à cet âge je savais que le pire pour les enfants du camp, c'était bien pire que ce que je pouvais voir dans les rues du quartier. Le plus probable c'est qu'avant ses quarante ans, il serait déjà mort, du moins socialement.

En tout cas, cet avant-midi-là au camp de jour les Ratoureux, l'équipe des Rouges s'est rapidement fait voler son drapeau. Tommy pis moi, on s'en crissait pas mal, rendus là.

## L'avalée des avalés

Le français n'avait plus trop de secrets pour moi, j'étais même dans le club de lecture de mon école primaire. Je dévorais tout ce qu'on me mettait entre les mains, je ne choisissais pas vraiment, nous avions une liste de livres suggérés. Nous pouvions accumuler des étoiles pour chaque lecture et au bout d'une centaine de titres, nous en recevions un en cadeau. J'avais depuis longtemps dépassé le centième ; j'avais lu presque tous les bouquins de la bibliothèque, mes préférés plus d'une fois.

Il y avait *Reviens-nous, Michaël,* qui m'hypnotisait. Il racontait la quête acharnée d'une adolescente tentant par tous les moyens de retrouver son frère disparu. Il avait vraisemblablement fugué et n'était plus jamais revenu à la maison, malgré les recherches aussi vaines que désespérées de sa sœur. J'ai dû l'emprunter trois fois de suite, ne comprenant pas comment on pouvait décider de quitter sa famille. Je n'avais que mes frères, mon père et ma mère. Je savais la douleur de mes parents d'être loin des leurs, je savais ce que c'était que de grandir sans grands-mères, ni grands-pères, tantes et cousins parce que nous avions été déracinés. Moi, je ne serais jamais de celles qui fuguent, qui s'éclipsent. Jamais je ne pourrais être la femme qui fuit.

Je feuilletais encore une fois *Reviens-nous, Michaël* à la recherche d'une réponse : comment peut-on quitter les siens, quand j'ai aperçu *L'avalée des avalés.* Je ne m'explique toujours pas ce que ce livre faisait à la bibliothèque anémique de mon école primaire, mais il était là. Il me fixait.

Envoûtée par un si beau titre, je l'ai pris. J'ai été immédiatement engloutie par les mots, figée sur place, incapable de le déposer. Les phrases ne s'arrêtaient jamais, elles s'enchaînaient les unes aux autres sans que je puisse m'interrompre, je tentais de soutenir le rythme en retenant mon souffle, mais il me manquait, cramponnée que j'étais aux virgules pour respirer. C'est la première fois qu'un livre réussissait à arrêter les pensées dans ma tête. Rivée sur ma lecture, j'étais captive. Absorbée, je n'ai pas vu le temps passer ; j'ai dû courir à la fin de la période bibliothèque pour le rapporter chez moi.

À ce jour, je ne comprends toujours pas que la bibliothécaire n'ait rien dit quand j'ai emprunté le livre, qu'elle n'ait pas sourcillé en voyant une petite Latina de onze ans emporter avec elle Réjean Ducharme. Elle avait pourtant l'habitude de commenter mes choix. « Oh, celui-là je pense que tu vas aimer, Caroline ! » Ou « Vraiment ? C'est ça que tu as choisi ? Je pense que ce livre va t'ennuyer. Tu ne voudrais pas plutôt prendre celui-ci ? » Cette fois, elle ne dit rien et ne fit aucun mouvement qui aurait pu trahir son ébahissement. Elle n'a pas bronché. Rien ne pouvait me faire soupçonner l'incongruité d'avoir ce livre entre mes brunes mains enfantines, à un point tel qu'avant le cégep, je croyais que *L'avalée des avalés* était un livre jeunesse.

Parfois, je me demande si ce n'est pas elle qui l'a placé à côté de *Reviens-nous Michaël*, afin de bousculer mes repères, de perturber mes frontières. Si j'étais prête à relire sans cesse cette histoire de disparition soudaine qui finit mal, cet abandon ultime, peut-être pensait-elle que je pouvais accueillir Ducharme.

Elle était Haïtienne. J'aime à m'imaginer qu'elle avait lu dans mes goûts littéraires une obsession des histoires de familles décimées, des grandes solitudes, des gens qui nous échappent, des blessures qui nous marquent. Elle me posait souvent des questions sur mon pays d'origine, que je pensais habilement contourner, mais sans doute n'était-elle pas dupe. Elle devait voir par mes esquives que j'avais des démons que je tentais de faire taire et peut-être m'a-t-elle offert la littérature pour me montrer que l'on peut s'évader.

Je ne sais pas si elle savait dès lors l'abîme dans lequel ce livre m'entraînerait. Chavirée dès les premières lignes, je m'y suis noyée.

Ce livre a renversé tout mon rapport au français et de là, à la littérature. C'était la première fois que je découvrais dans la langue un jeu. Que j'entrevoyais la beauté d'un texte complexe sans saisir tout ce qui s'y trouvait. La poésie a pris un sens autre que celui si vertical des acrostiches scolaires. C'est là que j'ai réellement appris que l'on peut être blessé par ceux qu'on aime, que la solitude fait partie de l'amour et que l'enfance n'est pas l'âge de l'innocence. Je comprenais qui j'étais : la démesure était salvatrice, l'absolu devenait envoûtant, le chamboulement impératif. Je pourrais peut-être restaurer une partie de la petite Caroline pâlie à travers les mots. La violence semblait enfin banale et la tristesse n'était pas nécessairement opposée à la lumière.

Je ne retournerais pas au Chili avant l'âge adulte parce que je ne voulais pas vivre de nouveaux deuils. Je détestais les départs et me suis longtemps sentie incapable de vivre la distance sociale et culturelle qui s'imposait peu à peu entre moi et mes parents. J'ai surtout compris que le français devenait ma langue. Celle qui se superposerait lentement à l'espagnol, pourtant première et maternelle. Celle qui deviendrait une demeure. Celle qui me permettrait non seulement de dire, d'appréhender le monde mais aussi de m'éloigner des miens. De m'éloigner des miens sans les quitter.

*L'avalée des avalés* m'a fondée. Je suis parlée par la langue française et cela depuis Ducharme. Un jour, je m'en servirais pour raconter mon histoire.

## Shit, Lola

La classe d'accueil était loin derrière moi, ça faisait cinq ans que je l'avais quittée pour le régulier. J'étais en sixième année, j'étais à la même école et j'avais enfin de bonnes amies. Dans la cour de récréation, lorsqu'on jouait à la tag barbecue et que les garçons couraient après les filles pour leur soutirer un bec, moi aussi je me faisais poursuivre. Pas par ceux que moi j'aimais le plus, mais tout de même, je ne me retrouvais plus à poireauter humiliée en attendant qu'on me choisisse ou, pire encore, à faire semblant d'être pourchassée comme les deux ou trois filles rejets de l'école. L'heure de la récré venue, elles faisaient semblant d'être occupées en performant un petit manège dont personne n'était dupe. Les petites filles ne choisissaient pas leurs prétendants, et il ne me serait jamais venu à l'idée de questionner cet état de fait. J'attendais passivement d'être sélectionnée.

Mes meilleures copines et moi jugions avec un mélange de curiosité, d'envie et d'incrédulité celles qui frenchaient. Nous avions déjà appris les codes imposés aux filles : il fallait être déniaisée mais pas guidoune, pétard mais pas pétasse, aguichante mais pas agace et voguer funambules sur ce fil de fer. Cette ligne si fine sur laquelle il était impossible de marcher en équilibre était pourtant celle que nous empruntions chaque jour comme notre propre marelle avec acharnement. Peut-être plus que les autres filles québécoises, je me faisais un devoir de jongler avec ces conventions pour performer cette idéalisation fantasmatique de l'identité féminine. Lorsqu'un garçon m'attrapait, je poussais un petit cri aigu, faisais semblant d'être surprise et me laissais embrasser sur la joue en ricanant. Les becs sur la bouche étaient réservés à mes kicks, nombreux et volatiles, qui avaient déjà posé leurs lèvres sur mes joues. Les quelques fois où c'était arrivé, ça avait été un évènement qui s'était valu une entrée dans mon journal intime et quelques potins avec les copines.

Je me souviens d'avoir eu le sentiment d'y être arrivée, de faire finalement partie de la gang. J'avais une place bien à moi dans notre groupe éclectique d'amies placoteuses, qui avait lui-même sa place dans la cour d'école, pas trop basse sur l'échelle sociale, à une distance confortable du top vertigineux. Je réussissais haut la main dans toutes les matières, surtout en français et en anglais. Les temps durs étaient derrière moi, pensais-je. Mis à part les bums racistes de l'école secondaire Chomedey à côté de notre école primaire qui venaient périodiquement nous écœurer en lançant des œufs déguisés en boules de neige. J'étais enfin bien à ma place.

Le soir, je m'appliquais pour rédiger mes devoirs et apprendre mes leçons comme seule peut le faire une fille de réfugiés, comme si l'avenir du continent sud-américain en dépendait. Si je n'arrivais pas à résoudre un problème de mathématiques, je pouvais passer des heures à bûcher sans manger et sans parler à personne et je ne sortais de ma chambre que lorsqu'il était compris et résolu. L'orthographe et la grammaire du français étaient mon terrain de jeu. J'en avais appris les règles et mémorisé la majorité des exceptions; mes notes parfaites aux dictées et tous les livres lus témoignaient de ma progressive assimilation de cette langue. Heureusement, après le travail acharné, je m'écrasais devant la télé pour un repos bien mérité en écoutant mon émission préférée : *Chambres en ville*.

J'aimais savoir que mes copines, faisant corps avec moi, regardaient religieusement la même émission chez elles. Et quelle émission ! J'aimais l'indépendance des pensionnaires de Louise, ces jeunes qui commençaient le cégep loin de chez eux. Avec des parents latinos, il me semblait que je ne pourrais jamais partir en appartement ou quitter la maison à l'âge du cégep. Les filles y étaient libres et même les plus drabes finissaient invariablement par embrasser un des gars comme Olivier, Pete ou le beau Gabriel. Mon idole restait secrètement la farouche Lola, forte, sauvage, féroce même. Elle n'aurait pas fait semblant d'être surprise par un bec sur la joue, elle.

Je voulais être comme elle, comme elles et eux tous. Ils étudiaient, mais passaient le plus clair de leur temps à naviguer d'un amour à l'autre. Ils vivaient en communauté avec tout ce que ça suppose de contraintes, de déchirures et de trahisons, mais surtout, ils appartenaient. Pour ma part, j'en étais à ma dernière année du primaire et j'appréhendais l'entrée au secondaire. Je devrais à nouveau changer d'école, prouver que j'avais ma place. Je me disais que je pourrais devenir comme eux plus tard. Je n'avais certainement pas peur du drame et j'étais prête à voir mon cœur maintes fois mis à l'épreuve si c'était pour faire partie d'un groupe où j'aurais une identité définie, ma place bien circonscrite. Je voulais être avec eux, faire partie de leur univers. Les retrouver chaque soir était une source d'oxygène ; je respirais au gré de leurs émotions, à grandes bouffées de clichés.

Le lendemain, avec les amies, s'il n'y avait pas de tag barbecue à la récré, nous discutions de l'épisode de la veille. « Ça a pas d'allure », affirmions-nous à propos des tenues de Lola, « Elle est vraiment pognée », disions-nous toutes d'Annick, « Maudit qu'est poupoune », pensions-nous de Vanessa. Nous apprenions à examiner nos sœurs en fonction de ce que la société attendait de nous comme jeunes filles, singeant les codes qui resserraient notre propre étau et limitaient nos possibilités. J'en étais une experte, apprenant toutes les conventions, les conduites interdites, les permissions occasionnelles, les laissez-passer fortuits, les circonstances atténuantes. Je répétais les règles, les intériorisais et m'en faisais maître et juge. Je triomphais avec mes copines : à douze ans, notre assimilation des codes genrés était en tous points impeccable.

Un jour comme les autres, sûre de moi et insouciante, je tournais dans la cour avec les filles en discutant du dernier *Chambres en ville*.

— As-tu vu la face à Lola hier ? m'a demandé ma meilleure amie.

— Quand Pete l'a cruisée ? Ouain, elle était vraiment frue ! Trop drôle, que j'ai répondu.

— Qu'est-ce que t'as dit ? *Cru-i-zer* ? C'est ben laite. On dit *CROU-ZER*, pas *cru-i-zer* ! Hahaha ! Heille, les filles, avez-vous entendu ça ? Caro a dit *cru-i-zer*. Miss Méritas du français a s'est trompée !

Pourtant, pour me conformer aux autres, je pratiquais à voix haute les mots entendus le soir précédent. Mais ce mot-là n'avait pas collé et il n'était pas dans le dictionnaire. Quelle conne, évidemment que ça se prononçait *crouzer*. Mais, en bonne élève, je l'avais répété comme il s'écrivait, de façon scolaire, en prononçant chaque lettre, comme en espagnol : *cru-i-zer*. J'avais intégré les règles, mais je sonnais faux.

J'étais humiliée sur un terrain que je pensais le mien. Après que mes amies se sont payé ma gueule, j'ai préféré me taire. Je me suis tue toute la journée. Le soir, Pete et Lola étaient devenus des étrangers. Comment avais-je pu penser qu'ils représentaient un horizon possible pour moi ? Je savais très bien que ni lui ni elle n'auraient été mes amis dans la vraie vie. On n'était pas une gang ; ils se parlaient entre eux et je les regardais vivre comme je le faisais avec mes copines, mes camarades de classe, l'univers au grand complet.

Je me suis alors rappelé Julien, personnifié par Gregory Charles qui, dès les premières émissions, devait à la fois affronter le racisme primaire à la pension et se promener avec un couteau au cégep pour se protéger des autres Noirs. Nulle part il n'était en sécurité.

J'ai changé de poste. À partir de ce jour, j'ai commencé à regarder exclusivement la télé américaine.

## Tout-inclus

Quand j'ai commencé le secondaire, mes parents avaient réussi à accumuler assez d'argent pour échapper durant quatorze jours à leur condition de salariés avec la promesse d'un tout-inclus à Cuba.

C'est avec orgueil qu'ils nous avaient annoncé la nouvelle ; après des années de labeur, ils en étaient enfin rendus là dans leur ascension sociale. Mais ils nous avaient avertis : nous ne serions pas comme les autres touristes, des étrangers de passage qui ne songent qu'à profiter des plages et du farniente – inaccessibles aux Cubains – que l'île avait à offrir pour ensuite repartir vivre leur vie meilleure ailleurs. Non, nous, nous serions exemplaires et ne cesserions d'exprimer la fraternité qui nous liait aux habitants. Dans le fond, nous étions presque comme des Cubains : des hispanophones de gauche d'Amérique latine, bercés aux idéaux révolutionnaires et contraints de vivre dans un monde capitaliste.

Nous parlions à chacune des femmes de chambre, pas par gentillesse, charité ou politesse, mais par véritable amitié. Ma mère occupait exactement le même emploi au Canada. Chaque travailleur était un camarade et j'ai tout appris de l'histoire révolutionnaire de Cuba à Playa Girón dans la baie des Cochons. Si durant toute mon enfance j'avais eu droit aux monologues socialistes de mon père, ici la politique se révélait dans ses conversations avec les quidams qu'il rencontrait au détour d'une avenue. Contrairement à Montréal, ici personne ne nous demandait d'où nous venions ; nous étions basanés, avions les cheveux noirs, parlions l'espagnol et riions fort. Mais lorsque nous disions que nous étions Chiliens, de larges sourires accueillants et fraternels se lisaient sur ces visages qui ressemblaient aux nôtres.

Les gens nous parlaient alors du président-camarade Salvador Allende, du coup d'État, des horreurs de Pinochet, de l'implication des États-Unis, de l'amitié entre les peuples et des mots lumineux de Neruda. C'est en chœur avec eux qu'à chaque repas nous chantions l'émouvante chanson *Hasta siempre*. Je fermais les yeux, m'imprégnais des paroles hypnotiques. Le soir, après les pluies torrentielles quotidiennes qui ne duraient jamais plus que quelques minutes, je les répétais avant de m'assoupir. *Aqui se queda la clara / La entrañable transparencia / De tu querida presencia / Comandante Che Guevara**. Je vibrais au rythme de leurs guitares, de leurs luttes et de leurs chants.

Pour la première fois, je considérais mon identité de façon positive. Je n'étais plus *celle qui n'est pas d'ici*, une quelconque immigrante. J'étais devenue une fière Latino-Américaine.

Nous profitions chaque jour de la mer, assoiffés, après son absence durant de si longues années alors qu'elle était auparavant phare et horizon de notre existence. Nous nous faisions un devoir de n'aller que dans les plages ouvertes aux Cubains, jamais à celles réservées aux touristes. Dès le premier jour, ma mère s'est liée d'amitié avec une femme

---

* Ici reste la clarté / La profonde transparence / De ta chère présence / Commandant Che Guevara.

qui passait des heures à la plage avec nous. Elles placotaient comme des vieilles copines, tandis que nous jouions à nous construire des empires de sable ou que nous courions pour attraper les vagues qui finissaient toujours par nous échapper.

Cette Cubaine m'aimait particulièrement; elle m'appelait *mi muñeca,* ma poupée. Quelques jours avant notre départ, elle m'a offert une conque de lambi, le coquillage géant à l'intérieur rose, afin que je puisse toujours y entendre la mer des Caraïbes, son rythme incessant mais irrégulier, me dit-elle. J'ai alors pensé que je le garderais toute ma vie, sachant ce que ça représentait pour un Cubain de trouver un cadeau à offrir dans un contexte de pénurie, mais surtout en souvenir de ces rencontres qui m'avaient ouvert une nouvelle voie, celle d'une identité collective, liée à celle de ces Latino-Américains qui m'avaient accueillie.

Le jour de notre départ, nos parents devaient faire nos valises. Nous ne voulions pas les accompagner, occupés que nous étions à nous remplir les poumons d'air marin. La Cubaine leur a gentiment proposé de rester à nos côtés. Pendant que mon petit frère creusait dans le sable, elle a commencé à me questionner sur les différences entre le Canada et le Chili. Les souvenirs de mon pays natal étaient flous et poussiéreux, je n'arrivais pas à lui raconter adéquatement le Chili. Mes réponses s'éternisaient, demeuraient vagues, imprécises, au mieux hésitantes, et je voyais l'ennui et l'agacement se creuser sur son visage bronzé.

Après quelques essais infructueux où mes explications étaient si approximatives qu'elles en devenaient confuses, elle a soupiré, exaspérée. Dans une dernière tentative, elle m'a demandé de quoi je m'ennuyais le plus du Chili. Après réflexion, j'ai dit « *de nada* », de rien. J'ai senti l'irritation dans sa voix lorsqu'elle répliqua : « De toute façon, t'es pas une vraie Chilienne. T'es même pas une vraie Latina en fait. »

Ébranlée, j'ai rétorqué que depuis mon arrivée à Playa Girón, j'avais cru comprendre que les gens pensaient que j'étais Cubaine. Elle a ri, pas avec méchanceté, avec une légère condescendance. « J'ai su que tu n'étais pas une vraie Cubaine à la seconde où je t'ai vue. On peut voir que t'es une *gringa* à des mètres de distance », a-t-elle renchéri. J'étais sceptique. Je me voyais tous les jours dans le miroir, mes pommettes hautes, mes lèvres charnues, mes yeux brun foncé, mes cheveux si noirs qu'ils avaient l'air bleus, ma couleur de peau : « Comment auriez-vous pu le deviner ? Je suis Latina. J'ai l'air Latina. Je suis comme toutes les autres Latinas. »

Cette fois, c'est avec une certaine tendresse qu'elle a souri tristement. « Non, *mi muñeca*, toi tu es grosse alors qu'ici tout le monde meurt de faim. »

# III

*Where the mothers planted their silence,*
*their angry daughters sit to uproot it.*
Ijeoma Umebinyuo

## La grande noirceur

Au Chili, sur un vieux chemin de terre si sinueux qu'on pourrait à peine l'appeler un chemin, juste une trace laissée par l'accumulation de pas qui sont passés par là, un homme de trente-deux ans aperçoit la plus belle fille qu'il ait vue depuis des années. Délicate, les yeux clairs, le visage rond et lunaire à la russe, elle marche d'un pas obstiné, tenant son petit frère récalcitrant par la main. Leurs yeux ne se croisent pas comme dans les films, mais il la voit. Il la voit si bien que lorsqu'elle s'engouffre derrière une porte pour rentrer chez elle, il ne supporte pas de ne plus l'avoir sous les yeux. Il se dit que c'est elle, que ce sera elle, la bonne, si seulement il ose. Il doit l'avoir.

Il va cogner à la porte qui a englouti la belle pour rencontrer ses parents et, suivant le protocole, demande sa main au père, qui accepte immédiatement. Comment pourrait-il refuser ? À la suite d'un accident de travail, en plus d'être pauvre, il est devenu aveugle et sait qu'il ne pourra jamais offrir une vie convenable à sa fille. Le prétendant qui se trouve devant lui est un homme sérieux, grand de taille. Il a le respectable métier de marin et est Blanc ; le père consent au mariage sur-le-champ. L'affaire est conclue en cinq minutes. La jeune fille n'a pas son mot à dire. Elle n'a que seize ans.

De ce qu'on appellerait aujourd'hui un viol conjugal, mais qu'à l'époque on nommait mariage catholique, est née ma mère.

Pour être honnête, je ne sais pas si mon arrière-grand-père était véritablement aveugle ou si c'était plutôt son fils – le frère de ma grand-mère – qui l'était. Je ne sais pas où se situe la vérité objective ; ça ne change rien dans l'histoire familiale. Ce qui est certain, c'est qu'ils étaient pauvres, dépourvus, empêtrés dans cette extrême misère qui ronge les individus, détruit la santé, écrase les corps. Les perpétuelles pénuries de nourriture que le travail éreintant ne réussit qu'à atténuer laissent des traces physiques : des gens lessivés, des personnes usées. La misère des travailleurs pauvres marque les corps, affaisse les visages, courbe les dos, détruit les genoux, plisse les yeux ; elle dégrade, vieillit, abîme. Je ne sais donc pas avec certitude si mon arrière-grand-père était vraiment aveugle, mais sa cécité était dans l'ordre des choses, de celles qui arrivent aux gens comme lui. C'était ce niveau de misère, la grande noirceur.

La plupart des familles latino-américaines sont ensevelies sous les secrets qu'elles ne savent pas bien garder. Même à plus de huit mille kilomètres de notre lieu de naissance, ma famille ne faisait pas exception : mon grand-père maternel, le monsieur de trente-deux ans, n'était pas mon grand-père biologique. Je ne connais de cette histoire que les vagues contours d'un aveu fait au téléphone durant une crise de larmes de ma mère. « *¡Nunca tuve padre! ¡El hombre que tu llámas tu abuelo me dio solo su nombre** *!* » m'a-t-elle lancé sur le ton dramatique des *telenovelas* qui était la norme chez nous.

---

* Je n'ai jamais eu de père ! L'homme que tu appelles ton grand-père ne m'a donné que son nom !

Quand j'étais petite, je me demandais souvent comment ma grand-mère pouvait à la fois être si dévote et continuellement torturée par le péché. Je ne savais pas ce qui la consumait. Des années plus tard, j'ai appris qu'elle était tombée amoureuse d'un autre homme que celui qui était de seize ans son aîné et auquel on l'avait mariée sans son consentement.

Elle avait eu une liaison avec cet autre homme, marié, qui ne s'est jamais engagé avec elle. Dans la prison que constituait sa vie aux limites si étouffantes, elle avait creusé une tranchée, une marge de liberté qui plus tard la rendrait folle de cette culpabilité chrétienne qui la gardait à genoux. Elle resterait toute sa vie recluse dans le trou qu'elle avait elle-même creusé en se débattant pour s'évader. Frappée de disgrâce et meurtrie par la honte, elle ne se pardonnerait jamais cet écart.

De ce qu'on disait à l'époque être une tentation du diable, mais qu'on appellerait sans doute aujourd'hui un grand amour impossible, est née ma mère.

## La bête lumineuse

J'ai toujours aimé fouiller dans les tiroirs des gens. J'ai d'abord cru que cela m'était venu avec l'immigration et la recherche de ma bête lumineuse – cette quête de l'énigme identitaire tassée au fond de la commode, remisée en espérant ne plus y penser, comme si le passé pouvait être enfoui dans le mobilier. Comment ne pas perdre de vue ce qui me constitue lorsque pour être acceptée j'ai appris les codes, les ai chantés en chœur avec les autres ; leur vie en refrain, la mienne en lip sync ? Comment cadrer dans l'image, même si elle était terne et enlevait des couleurs à mes jours ? Comment ne pas m'éteindre, ne pas perdre celle que j'avais été et tout de même avoir un sentiment d'appartenance ?

Ma mère m'a pourtant assuré qu'il n'en est rien, que je suis comme ça du plus loin qu'elle se souvienne et que malgré ses nombreux avertissements, je persistais à enfreindre les frontières de la vie personnelle des gens. À peine haute comme trois pommes, lorsque je l'accompagnais chez ses amies pour le thé et qu'elle me perdait de vue trente secondes, je partais à la découverte de leur intimité.

Elle aime me rappeler l'épisode le plus embarrassant, chez sa meilleure amie au Chili. Une fois sur les lieux, après les salutations d'usage, j'ai tôt fait d'aviser la porte fermée de la chambre des parents. Une fois faufilée à l'intérieur, l'archéologie domestique dans laquelle je me suis engagée n'avait plus de limites. J'ai fouillé les tables de chevet, à la hauteur d'une indiscrète de trois ou quatre ans ; j'en ai ressorti le contenu. Journal intime et dildo dans une main, j'ai continué à gratter le fond du tiroir.

Dès que leur conversation s'est épuisée et qu'elles se sont mises à ramasser les tasses, j'ai su mes secondes comptées. J'ai tenté de replacer le journal intime du mieux que je pouvais, tandis que le vibrateur me glissait des mains. En tentant de le ramasser, j'ai renversé tout le contenu du tiroir par terre : les crèmes contre le vieillissement, celle contre la vaginite, le lubrifiant, l'huile à massage, le rosaire, les cartes de prières à la vierge Marie et les vieux kleenex. Ma mère, voyant le joyeux bazar, a ri aux éclats, s'est confondue en excuses et a abrégé sa visite en disant que j'étais une enfant entêtée et déraisonnable. Le retour à la maison fut comme d'habitude jalonné par des réprimandes qui ne réussissaient jamais à freiner mes impudences.

Une fois au Québec, j'ai fouiné dans les tiroirs de mes parents un nombre incalculable de fois et fait de leur chambre l'enceinte de mes explorations. Je suis entrée dans leurs garde-robes, j'ai inventorié chacun des petits papiers glanés dans leurs commodes, écornifié dans toutes les boîtes à chaussures dont mes parents se servaient comme des coffres-forts. Chaque fois que je pensais me trouver au seuil d'une révélation en disséquant le contenu d'enveloppes mal scellées, la déception m'envahissait : des cartes postales défraîchies, des lettres larmoyantes de mes grands-mères et mes tantes, les femmes toujours dépositaires des liens affectifs même quand un continent les séparait, leurs prières sans cesse répétées, de vieilles photographies des lieux que nous avions habités, scrutées cent fois déjà. Je n'y trouvais jamais de secret. Les tiroirs de mes parents étaient la nostalgie faite musée.

Dans un de ses tiroirs, celui du haut à droite, ma mère gardait ses souvenirs de nous, enfants : des vieux diplômes, des cartes d'anniversaire mal dessinées, des bricolages thématiques, des messages pour la fête des Mères, des bulletins du primaire, des souvenirs de nos accomplissements ; des babioles sans autre importance que de conserver la mémoire de notre enfance qui avait filé entre ses doigts usés de travailleuse qui n'avait pas pu être toujours là pour nous. Elle en souffrait et nous le disait périodiquement : « *Me perdí los mejores años**. »

Elle avait en effet tout sacrifié pour nous, y compris la possibilité d'être avec nous. C'est dans son absence que se lisait son dévouement. Inutile de dire que ce tiroir, elle le visitait régulièrement, y cherchant la lumière de notre enfance et se demandant sans cesse si cette éclipse avait valu la peine.

---

* J'ai raté vos plus belles années.

## La femme qui plantait des arbres

Il faut avoir côtoyé des analphabètes pour reconnaître la terreur qui se cache dans leurs yeux. La peur d'être repéré. Ces personnes développent des moyens de cacher leur condition, apprennent par cœur les manèges qui déjouent les moins avertis. Mais leur carapace tissée de craintes et de palpitations tremble et chancelle. Suffit d'un faux mouvement, d'un faux pas dans leur habituelle chorégraphie pour que leurs doigts se mettent à trembler, que leur confiance s'effondre.

Grâce à ma mère, j'ai souvent assisté à ce ballet de l'ombre et du doute. Elle était la meilleure pour déceler cette alarme tapie au fond de leurs yeux. Elle les accueillait à la maison. Le premier est celui dont je me souviens le plus.

Chaque semaine, après l'interminable messe dominicale, ma mère ramenait un paroissien à la maison. Remplie d'une volonté chrétienne de faire le bien et d'aider son prochain, elle avait entrepris d'enseigner à lire à un réfugié guatémaltèque. Pour ce faire, il utilisait mes vieux cahiers d'écolière chilienne remplis de petits dessins, avec lesquels j'avais appris à lire et à écrire en espagnol.

Il s'assoyait sur la chaise la plus éloignée de la fenêtre, du côté de la pénombre. Il était devenu un homme aux mouvements calculés, aux réflexes aiguisés. Il avait tout appris sans autre support que sa mémoire. Il vivait dans l'ombre afin d'éviter de se trahir, toute une vie à contre-jour. Je me posais à ses côtés, faisais semblant de faire mes devoirs, mais je ne pouvais pas m'empêcher d'observer. Du haut de mes dix ans, je voyais l'humiliation sous sa peau.

*Mi.*
*Mamá.*
*Mi mamá.*
*Mi mamá me ama**.

Il regardait des phrases simples et enfantines sans pouvoir les décortiquer. Et même s'il y arrivait un jour, pensais-je, à quoi cela lui servirait d'apprendre à lire ces inepties ? *Mi mamá me ama.* Dans quelles foutues circonstances cet homme d'âge mûr, sans famille, sans enfants, seul dans un pays qui n'était pas le sien, qui lavait la vaisselle en silence dans un resto-bar miteux de l'est de la ville, pourrait-il utiliser à bon escient la phrase « Ma maman m'aime » ? Il ne bougeait ni la tête ni le corps, un des coudes posés sur la table, le regard opaque.

Jusqu'à ce dimanche après-midi de février 1990. C'était un jour ensoleillé d'une beauté incandescente. Une de ces journées d'hiver où l'air est froid, et la chaussée scintillante. Il avait neigé la veille et la ville s'était immobilisée. Ma mère, toujours chic pour la messe, était radieuse, et le givre sur la fenêtre étincelant. Sur la petite table de la cuisine, avec la nappe en plastique transparente et un peu

---

* Ma.
Maman.
Ma maman.
Ma maman m'aime.

collante, j'ai assisté à un instant d'une rare luminosité : celui où un adulte lit pour la première fois de sa vie des mots qu'il comprend.

*Mamá.*
*Mi mamá.*

Sur ma petite chaise inconfortable, mon crayon dans la bouche, j'en ai été témoin. Je l'ai vu lire les mots à voix haute en suivant les lettres de son gros index. Et lentement, de sa voix rauque, il a prononcé les bons sons : *Mi mamá. Mi mamá.* Il a fermé les yeux quelques secondes. Il a répété : *Mi mamá. Mi mamá. Mi mamá.* Il les a rouverts, et la frayeur avait quitté son regard pour y laisser entrer de la douceur, quelque chose comme une nouvelle clarté. Un poids immense s'est envolé de ses épaules, qu'il a redressées. Une larme est venue nettoyer la peur. Tandis que la lueur dans ses yeux devenait plus chaude, je comprenais que j'avais été sotte. *Mi mamá* étaient les plus beaux mots du monde.

Ils ont travaillé durant des semaines. Petit à petit, il a appris à décortiquer toutes les syllabes. Il lisait lentement, péniblement, mais il lisait des phrases complètes. Cet homme sans famille venait de passer de l'autre côté. Il ne serait plus jamais seul. Le fil était recousu. Il était désormais lié aux autres êtres humains, ceux d'avant, ceux plus loin. C'était *mi mamá* à moi qui lui avait donné une filiation, en plein milieu de son premier hiver.

Ce moment de splendeur fut bref. Il y avait encore un nœud dans mon ventre. Tout ce travail, ces heures interminables. Il avait trente-huit ans et venait de lire en espagnol. Il devrait désormais s'attaquer au français et pour ça, ma mère ne pouvait pas l'aider. La route serait longue avant que ses yeux perdent toute obscurité.

## Cité RockDétente

Elle écoutait toujours la radio pour accompagner les interminables travaux ménagers qu'exigeait une famille de trois enfants, mais au lieu de la plupart des postes criards du privé, ma mère écoutait le 107,3 FM, Cité RockDétente, la radio de travailleuses domestiques et de femmes au foyer, qui les soutient dans les corvées qui salissent les mains et grugent l'âme au passage.

Jamais il ne lui serait venu à l'idée d'écouter Radio-Canada. La radio d'État essayait de s'adresser aux citoyens; or ma mère n'était pas citoyenne et ne se sentait jamais interpellée par les sujets traités. Certes, on y parlementait parfois au sujet de l'immigration, mais comme s'il s'agissait d'une question complexe nécessitant des explications par des spécialistes. On discutait d'eux, les immigrants, comme s'ils n'entendaient pas, comme on parle de quelqu'un qui n'est pas dans la même pièce. Des experts pouvaient longuement décrire les différentes facettes de la problématique immigrante sans que personne ne pense à tendre le micro à des immigrants. À part la *Rumba du samedi* à CISM, ma mère préférait de loin une radio qui parle à l'universel: l'amour, la perte, la tristesse, la solitude. Ça, ça la consumait.

Elle javellisait donc la toilette au son de Bruno Pelletier, *Il est venu le temps des cathédrales,* changeait des draps sales avec Julie Masse, *Et même si je survis loin de ton soleil / Je déteste mes nuits, je hais mes réveils*, faisait la vaisselle avec Marie-Denise Pelletier, *Tous les cris les S.O.S. / Partent dans les airs / Dans l'eau laissent une trace / Dont les écumes font la beauté*, et si elle était chanceuse, partait pour son shift du soir avec une vieille rengaine des années 1960 qui demeurait sa préférée, *Tous les garçons et les filles de mon âge*. Des chansons proprettes et tristes comme bruit de fond à sa mélancolie domestique.

À force de les écouter avec elle, ces chansons ont rempli ma tête. Plus que tous les contes de fées ou les films de Disney, c'est à Cité RockDétente que je dois le romantisme hétéronormatif qui a guidé si longtemps ma vie de jeune fille. J'apprenais aussi et surtout, en même temps que ma mère, le français avec comme professeurs Roch Voisine, Ginette Reno, Marjo et Gerry Boulet. Nous retenions toutes les deux les innombrables mots pour dire amour, lassitude et abandon en québécois populaire. Nous sommes ainsi entrées dans la culture québécoise par la porte de derrière. Celle de la musique que l'on met à la fermeture des bars (Marie Carmen, *L'aigle noir*), celle qui aide à tuer le temps dans la salle d'attente pour les services sociaux au CLSC (Éric Lapointe, *N'importe quoi*), celle qui joue pour tromper la monotonie quand on fait la file à la banque pour déposer les chèques maigrelets du lavage de vitres payé au noir (Luc de Larochellière, *Sauvez mon âme*). De la musique qui se plaint pour ma mère qui était épuisement et chagrin.

J'ai souvent entendu des intellectuels à cinq cennes baptiser cette chaîne avec condescendance Cité Rock Matante. Ce poste de radio a pourtant été mon institutrice et la seule véritable amie québécoise de ma mère des années durant.

Cité Rock Immigrantes.

## Y est midi moins quart et la femme de ménage est dans l'corridor pour briser les mirages

Une grande percée du féminisme a été de libérer les femmes blanches d'une partie des travaux domestiques pour les faire exécuter par d'autres femmes, immigrantes comme ma mère, qui se tapait la double tâche d'être à la fois ménagère chez elle et subalterne dans des foyers huppés. Jusqu'à sa retraite, ma mère a travaillé à torcher les salles de bain des gens qui avaient des choses plus importantes ou moins dégueulasses à faire. Elle faisait des ménages, comme on dit.

Payée sous la table par des gens tout à fait respectables, ma mère ne bénéficiait d'aucun avantage social autre que l'aléatoire humeur de ses divers employeurs : pas de congés de maladie, pas de vacances payées, et lorsque les employeurs partaient en voyage, elle se retrouvait le bec à l'eau, en congé forcé sans solde. Dans le meilleur des cas, elle obtenait un bonus à Noël, donné par la maîtresse de maison qui se sentait charitable, mais elle ne pouvait jamais compter là-dessus. Les maris, eux, s'en lavaient les mains, c'était la job de leur femme que d'embaucher, de donner des ordres et de congédier ma mère. Ils avaient des choses plus nobles à faire. Ils sortaient l'argent de leur portefeuille, mais autrement on ne les voyait jamais.

Nous les appelions les maisons de riches, même si c'était juste du monde plus riche que nous, ce qui n'était pas difficile, du moins au début. Dès qu'on y entrait, ma mère entamait sa routine: d'abord la cuisine, ensuite la toilette, pour terminer par les chambres et le salon et, s'il y en avait, le bureau. En fait, il y en avait toujours, même s'il n'était pas utilisé la plupart du temps. Elle n'avait pas une minute à perdre et moi non plus. Je m'éclipsais donc rapidement. Elle avait le choix: passer son précieux temps à me surveiller et à me gronder ou me laisser faire.

— *Deja todo exactamente donde lo encontraste por lo menos**.

— Oui oui, *mamita.*

Je ne peux pas compter les tiroirs que j'ai ouverts au cours des années où j'ai suivi ma mère dans des dizaines de maisons de riches. Des tiroirs de sous-vêtements, de tables de chevet, de commodes, même des tiroirs en dessous des lits. Des portes aussi, tant qu'à y être, des armoires de cuisine, des réfrigérateurs, des petits placards aux walk-in.

Je ne faisais pas que me promener dans chacune des pièces en ouvrant portes et tiroirs, je m'imprégnais des fragments des vies étalées devant moi, comme si je les vivais. J'analysais chaque détail. Les livres, les tableaux, les bouteilles d'alcool, les photos de famille, les bibelots. J'avalais les codes culturels, sociaux, artistiques et même culinaires de ces gens qui m'étaient inconnus.

J'ai fouillé et analysé la vie de ces gens alors qu'ils n'avaient aucune idée de comment nous vivions ni même souvent conscience que j'existais. Ma mère et moi savions tout d'eux: leurs habitudes alimentaires, les produits corporels qu'ils utilisaient et ceux qu'ils laissaient traîner pour

* Au moins, laisse tout exactement où c'était.

le show ; nous savions quand ils faisaient chambre à part, quand ils avaient des souris, quand les femmes étaient menstruées ou arrêtaient de l'être, quand les filles de bonne famille faisaient des tests de grossesse en cachette et que les gars d'écoles privées prenaient des drogues. Nous savions qui croyait en Dieu, en l'homéopathie, qui pensait que les femmes venaient de Vénus ou qui avait besoin d'un bouillon de poulet pour l'âme. Nous savions qui était sur les antiacides, les antidépresseurs, les calmants, les somnifères. Nous savions qui avait des problèmes conjugaux, scolaires, financiers, de boisson, des troubles alimentaires. Nous savions qui était malpropre, qui était paresseux, qui était hautain et qui était tout cela à la fois.

Sous la propreté que ma mère faisait advenir, il y avait leur crasse. Leurs poils dans la douche, leurs traces de merde dans la bol, celle de pisse à côté, leurs spots de salive sur le miroir de la salle de bain, leurs traces de doigts sur toutes les tables, leur sang et leur sperme dans les draps. Ma mère était la magicienne qui faisait disparaître tout cela en courbant le dos, en s'écorchant les mains et en respirant des produits chimiques qui la rendraient un jour malade.

Je leur aurais craché à la gueule à ces femmes qui, toujours souriantes, disaient du bien de ma mère avec le possessif « ma » : « Ma femme de ménage est une perle », comme si elle leur appartenait, comme si c'était une robe qu'elles avaient dénichée à bas prix et qui leur allait à merveille. Certaines poussaient l'audace jusqu'à dire avec désinvolture « Natalia fait partie de notre famille », tandis que ma mère vidait l'aspirateur de leurs cheveux, de leurs rognures d'ongles, des miettes tombées de leur bouche et de tous leurs autres déchets.

Parfois elles laissaient des notes passives-agressives sur la console dans l'entrée : « Natalia, n'oubliez pas de bien laver le miroir de la salle de bain d'amis, nous aurons des invités importants ce soir. Bonne journée ensoleillée ! » ou pire encore, elles quémandaient des besognes supplémentaires pour pas un sou de plus : « Natalia, pourriez-vous exceptionnellement laver la coutellerie svp ? Nous recevons demain soir. Merci, vous nous sauvez la vie ! »

Les femmes immigrantes payées au noir ne disent jamais non. Ma mère disait « oui oui », et fulminait en silence tandis que j'apprenais à mépriser. Au souper, malgré ses protestations, j'appelais ses clients « la vieille crisse, la malpropre, la famille de dégueux, les snobs sales de la maison qui pue ». Et quand ma mère-pas-de-congé-de-maladie disait : « Désolée, je ne peux plus continuer à faire le ménage chez vous. J'ai trop de clients en ce moment et ils sont tous dans le même coin près de chez moi », c'était faux. Elle comptait depuis des mois le nombre de fois qu'elle aurait encore à venir pour terminer les paiements de l'auto, de la laveuse ou de l'ordinateur portable qu'elle m'avait acheté à crédit avant de sacrer là la cliente difficile, la hautaine, la raciste qui s'ignorait. Que depuis la première des petites notes déposées ici et là et des « oui oui » qui l'ont suivie, le décompte avait commencé. Que ma mère était trop polie et reconnaissante de juste pouvoir travailler pour traiter ses clients de pleins de marde, mais que sa fille qui n'avait pas d'accent, elle, n'hésiterait pas.

Quand les enfants des clients devenaient adolescents, c'était encore pire. Ils faisaient des fêtes dès le départ des parents. Habitués à la femme de ménage et à sa docilité légendaire, ils avaient compris que Natalia ne les trahirait jamais et ne dirait pas un mot. Elle savait qu'ils étaient les boss.

Un jour où ses parents étaient partis, un garçon de treize ans a demandé à ma mère de laver la cuisinière. Il avait réchauffé la sauce à spaghetti congelée laissée par sa mère pour son lunch. Il l'avait oubliée sur le feu et ça avait débordé, brûlé la casserole et éclaboussé partout. J'ai vu ma mère récurer la cuisinière, les murs autour et le plancher pendant une heure supplémentaire pendant qu'il regardait la télé, en boxers, en mangeant une pizza commandée en remplacement du spaghetti dans une assiette que ma mère nettoierait après tandis qu'il lui lancerait, sans lâcher l'écran du regard, « Ah, thanks Natalia, t'es vraiment la best ».

Quand j'enrage juste parce qu'on ne donne pas du « Madame » à ma mère, qu'on la tutoie ou qu'on l'appelle familièrement par son prénom, je sens tout remonter en moi. La colère part de là. L'image de ma mère, à genoux, tête baissée à laver des bécosses, qui reçoit les ordres, même formulés poliment, d'un enfant ; je me rangerai toujours du côté des humiliées. C'est là où je me terre.

## Péter ma balloune

Ça ne pouvait pas être simple, fallait que ce soit tortueux et compliqué. Du plus loin que je me souvienne, les femmes de ma famille ont toujours inventé des histoires inouïes pour camoufler des vérités pourtant assez inoffensives et nous mettre en garde devant un grand danger. Ma mère était la spécialiste de ces histoires invraisemblables et apocalyptiques. Comme sa propre mère avant elle, elle en inventait une chaque fois qu'elle s'inquiétait pour nous. Il va sans dire qu'une Latina catholique expatriée a fait de l'inquiétude une signature, un tatouage et un mode de vie. Non seulement elle avait fui un pays où les gens disparaissaient, mais peu importe où elle irait dans le monde, son dieu était punitif. Elle craignait l'inconnu. Elle respirait l'appréhension.

Dans notre monde tapissé de précarité et d'incertitude sur lesquelles elle n'avait aucune prise, ma mère rabattait son besoin de contrôle sur des broutilles qui pouvaient affecter nos corps. Pour me dissuader d'avaler ma gomme balloune, elle me racontait toujours la même histoire avec les mêmes mots, les mêmes intonations, la même chute. Elle aurait pourtant simplement pu me dire « ça ne doit pas être très bon pour la santé » ou « il se pourrait que tu aies mal au ventre après ». Elle aurait pu ne rien dire aussi, juste me l'interdire, mais j'étais têtue, et elle avait le sens du drame.

Elle me répétait que, petite, elle avait avalé une gomme à mâcher et que celle-ci était restée collée à son estomac. Prise d'affreuses crampes, elle avait dû être amenée d'urgence à l'hôpital pour y être opérée. On lui avait ouvert le ventre pour en extirper la maudite gomme qui n'avait pas été facile à déloger. Avec grande difficulté, les médecins y étaient parvenus, pour finalement la recoudre, à l'image du grand méchant loup dans *Le petit chaperon rouge*. Elle soulevait alors son chandail pour me montrer une cicatrice, preuve de ses souffrances : une longue ligne lui traversait le bas du ventre à l'horizontale, là où le bistouri avait glissé sur sa peau délicate. Sentant dans mon épine dorsale la lame froide qui lui avait percé la peau, je recrachais ma gomme par terre, sur le trottoir plutôt que dans une poubelle pour protester un peu, sans me douter que cette cicatrice était le fruit des césariennes successives que lui avaient imposées les accouchements difficiles de ses trois enfants.

Je n'étais pas pour autant traumatisée par cette histoire d'horreur ; de bien pires hantaient les récits familiaux. Après tout, je venais de l'Amérique du Sud, où tout le monde pense que sa famille a été frappée par le mauvais sort, que la vie est une tragédie parce que Dieu et les esprits vengeurs punissent constamment les innombrables péchés réels ou soupçonnés des ancêtres et d'autres bien pires que nous allons un jour commettre. Il faut aussi avouer que leur abondance estompait leur effet ; pour chaque interdiction qu'on voulait nous faire avaler, il y avait une anecdote tout aussi terrible et bouleversante que les autres.

Lorsque j'étais adolescente, ma mère m'ordonnait de sécher mes cheveux avant de sortir en hiver. Elle connaissait quelqu'un qui lui avait raconté qu'une femme dans sa famille avait attrapé une pneumonie à cause de ses longs cheveux bouclés qui avaient gelé dehors. « *Nosotras no somos hechas para el invierno mijita** », me répétait-elle chaque fois, comme si c'était une conclusion logique. Il s'agissait de la fille de madame Sepúlveda, qu'elle avait rencontrée à l'église latino-américaine. Elle avait dû être hospitalisée, puis était ensuite restée alitée à la maison durant des semaines. Je la connaissais, c'était la cousine d'une fillette qui était dans le groupe des servants de messe *Los amigos de Jesus* et je ne manquais aucune occasion de rappeler à ma mère que la jeune femme était aussi une fumeuse qui ne mangeait rien, buvait beaucoup, se tenait avec des cokés rencontrés dans les discothèques depuis son *quinceañera* et que la source de sa pneumonie était peut-être à trouver dans ses habitudes de vie à se dandiner en talons hauts pas de manteau sur Saint-Laurent plutôt que sur sa tête permanentée mouillée de février. Je lui rappelais aussi que la vieille, avec son fils en prison et son autre fille aux États-Unis, avait fini par tomber gravement malade et mourir de chagrin, et qu'elle devrait probablement s'abstenir de s'inquiéter pour des sornettes si elle ne voulait pas connaître le même sort. Elle me donnait alors une petite taloche derrière la tête, disait « *pobre viejita*** », faisait le signe de la croix et m'interdisait de sortir les cheveux mouillés, dans cet ordre.

Depuis que j'étais toute petite, elle avait aussi la phobie de me voir jouer avec des sacs de plastique à cause

---

* Nous ne sommes pas faites pour l'hiver, ma petite.

** Pauvre petite vieille.

d'une histoire concernant le frère de ma grand-mère. Ou le frère d'un voisin de ma grand-mère ou peut-être même de son camarade de classe. Ou des scénarios qu'elle se faisait dans sa tête. Mais quelqu'un quelque part dans le monde avait dû mourir asphyxié par un sac de plastique. Pour la faire réagir, je me mettais parfois la tête dans un sac tout en laissant entrer l'air. J'attendais qu'elle m'aperçoive pour respirer bruyamment, comme si je manquais d'oxygène. Elle criait, s'agitait, paniquait, à coups de *Dios mío.* J'arrêtais juste avant que ça ne devienne plus drôle. Soulagée, elle éclatait d'un rire nerveux qui laissait deviner un mélange d'apaisement, de légèreté et de profonde détresse. Le rire de ma mère : la joie anxieuse de la fin d'une souffrance. Je trouvais toujours amusant ce basculement nerveux que je n'entendais jamais dans les rires des mères de mes amies d'ici.

Malgré tout, je ne remettais pas en question la véracité de ses histoires, car elle y croyait et elles détenaient de ce fait un pouvoir performatif sur elle. Madame Sepúlveda pouvait bien penser que c'était à cause de ses cheveux que sa fille avait attrapé la pneumonie et ma mère que je pourrais vraiment mourir en restant prise la tête dans un sac de plastique, c'était leur réalité, pas la mienne. Elles avaient beau s'en faire des chapelets, je n'ai jamais séché mes cheveux noir corbeau avant de quitter la maison, été comme hiver. La seule chose qui me tuait un petit peu chaque jour était de ne jamais voir ce type de chevelure ailleurs qu'à l'église latino-américaine ou devant mon miroir.

# Québec Loisirs

Pas de ski, pas de raquettes, pas de hockey, pas de patins. C'est à peine si nous allions glisser sur des Crazy Carpet une fois par hiver. Aussitôt novembre installé, nous n'avions plus de loisirs extérieurs et devenions une famille recluse. Sauf que nous avions élu domicile dans une ville de grands froids et de neiges abondantes où l'ennui de janvier était tolérable, mais devenait insupportable au mois de mars.

Même si ma mère occupait ses mains irritées aux ménages, l'éducatrice en elle refusait de mourir quand il était question de ses enfants. Elle ne pouvait pas encore se permettre de nous payer des activités, cela viendrait plus tard, mais elle était résolue à nous trouver des loisirs plus stimulants que la télé. Elle eut l'idée de nous amener à la bibliothèque sur la rue Ontario, qui était gratuite. Si elle ne pouvait pas nous amener au théâtre pour enfants qu'elle affectionnait tant, elle pourrait au moins nous payer ça, son billet de bus pour notre pèlerinage hebdomadaire à la bibliothèque municipale d'Hochelaga-Maisonneuve.

La première fois que nous y sommes allés en famille, je ne m'attendais pas à avoir le vertige. Je m'imaginais un lieu délabré et quelconque, comme tout ce qui se trouvait dans le coin ; au lieu de quoi, je me suis trouvée devant le plus bel édifice que j'avais vu à Montréal. Je demeurerai alors convaincue pour le restant de mes jours que ces lieux se doivent d'être beaux pour que l'on sente que ça importe. Cet endroit était un palais et en y entrant, même si la section des enfants se trouvait dans le sous-sol éclairé aux néons, j'avais l'impression d'accéder à une richesse qui m'était destinée.

La bibliothèque ressemblait à une cathédrale, majestueuse avec ses colonnes de pierre, avec de nombreuses marches à gravir pour accéder au parvis. Au départ, le bâtiment avait été construit pour abriter l'hôtel de ville de Maisonneuve, pas pour les ti-culs du quartier. Centenaire, ce n'est que dans les années 1980 que l'édifice devint une bibliothèque, premier sanctuaire que ma mère, qui nous amenait pourtant à l'église latino-américaine tous les dimanches, nous a ouvert.

Avec nos visites qui se renouvelaient chaque samedi, la bibliothécaire m'a rapidement reconnue, compris mes goûts et a commencé à me mettre des ouvrages de côté, m'offrant des livres un peu plus gros, un peu plus difficiles que ceux que j'avais l'habitude de lire, me guidant hors des sentiers battus, me tirant, roman par roman, à un niveau supérieur. C'est dans cette bibliothèque publique, entre les clodos qui venaient y lire le journal sur des divans confortables et les mesdames esseulées qui y trompaient l'ennui, que j'ai appris à fouiller par moi-même, qu'entre mille et une cochonneries, j'ai emprunté une cassette de Gilles Vigneault, des poèmes de Félix Leclerc, que j'ai écouté des films de Marcel Pagnol en VHS un après-midi de pluie, que j'ai lu mes premières *Mafalda* en découvrant avec stupéfaction qu'il s'agissait de traductions et que l'héroïne était sud-américaine, comme moi.

La biblio municipale a débroussaillé un sentier du désir que j'ai emprunté sans savoir qu'au bout il y aurait la possibilité de déplier d'autres destins que celui auquel j'étais promise.

Si elle en avait eu l'intuition, ma mère ne s'en satisfaisait pas, mais regrettait plutôt ce qu'elle ne pouvait nous léguer. Elle aurait voulu que ces livres, que j'empruntais obsessivement à chaque visite, usant de charme auprès de la bibliothécaire pour qu'elle en accepte un de plus que le règlement ne le permettait, soient à moi. Que ce ne soient pas seulement les histoires qui m'accompagnent, mais que ces livres, physiquement, m'appartiennent. L'odeur des vieux livres resterait pour moi source de réconfort ; pour ma mère, elle lui rappelait son incapacité à tout nous offrir.

Dès qu'elle en eut les moyens, elle s'est abonnée à Québec Loisirs. Je me rappelle l'inconnu qui était venu cogner à la porte de notre appartement, sa coupe Longueuil, son veston noir, sa voix rauque, chaleureuse et apaisante. Il avait les yeux gentils, ma mère l'a laissé entrer. Il s'est assis à la table de la cuisine, acceptant volontiers le café instant qu'elle lui a servi. Je me souviens qu'il s'est raclé la gorge avant de commencer comme s'il s'apprêtait à nous révéler un secret, qu'il était doux et confiant, qu'il avait des bagues en argent qui s'étaient entrechoquées quand il avait finalement déposé sa petite mallette de faux cuir noir sur la table. Il l'a ouverte, à l'intérieur, il y avait des livres. Des livres à couverture rigide, les titres en relief. Un catalogue par saison ; c'était notre printemps.

Dans une longue tirade bien répétée, il avait présenté le club qui proposait des livres mensuels par correspondance, à rabais, avec des offres du type *Achetez-en deux et le troisième est gratuit*. On pouvait choisir les livres dans un catalogue livré par la poste quatre fois par année, où se côtoyaient des bestsellers et des bouquins de maisons d'édition inconnues, des documentaires et des romans à l'eau de rose, des biographies et des romans historiques. Parfois un Goncourt s'y glissait, mais la plupart du temps, on était dans le temple de la psycho pop et des faits vécus. Disons qu'on était plus proche d'un *Distribution aux consommateurs* du livre que de *L'Euguélionne*.

Au fil des saisons, ma mère fit entrer de nombreux livres à la maison, en plus de parrainer des copines, puis plusieurs femmes de l'église, ce que le Club récompensait par des livres supplémentaires. C'était l'âge d'or de Québec Loisirs. Dès que le catalogue arrivait à la maison, on mettait de la musique, on s'assoyait par terre, sur le tapis du salon, on entourait les titres avec un feutre rouge comme dans les circulaires, puis on attendait patiemment le facteur. Je me souviens de la joie infinie de recevoir mon propre exemplaire des *Catastrophes de Rosalie*, que j'ai dû relire vingt fois et mon premier *Ani-Croche*. Il y avait toujours eu de la joie chez nous. Désormais, il y avait aussi des livres partout.

À chacun des déménagements suivant notre ascension sociale, nos appartements s'agrandissaient chaque fois un peu plus et, peu à peu, ma mère les a garnis de plus de livres. Ils ne se remplirent jamais tout à fait de bouquins, mais il y en avait assez pour tapisser une partie de la moquette de la salle familiale sur laquelle j'avais l'habitude de me reposer, à côté de la joie nerveuse de ma mère.

Après quelques années, mon enthousiasme pour Québec Loisirs a pâli. À l'aube de l'adolescence, après avoir lu tous les *Club des baby-sitters,* les Lucy Maud Montgomery et les Arlette Cousture, je regardais avec embarras les livres érotiques et les livres d'aéroport qu'on y trouvait. Je n'étais plus si certaine que ce fût la meilleure façon de se procurer des livres. Rendue au secondaire, il a suffi que je me frotte à la poésie cinq minutes pour que je commence à mépriser le club. À quatorze ans, j'en avais carrément honte.

Je parlais au téléphone avec ma meilleure amie lorsque ma mère, emballée, est arrivée dans le salon, catalogue d'hiver en main. Mon œil a rapidement glissé sur la couverture : le dernier Danielle Steel y trônait, en grand format avec sa jaquette bleue vive et ses proéminentes lettres dorées : *Coups de cœur*. Avant même qu'elle puisse dire mot, j'ai lancé à ma mère, en français : « Non, y'a juste d'la marde là-dedans. » N'osant affronter sa déception, je suis sortie de la pièce, la laissant, ulcérée, derrière moi, à sa petite littérature.

Même sans moi, ma mère renouvellerait encore des années durant son abonnement à Québec Loisirs. En plus des occasionnels romans, elle compléterait sa collection de documentaires sur la biologie, l'anatomie, les maladies, la médecine et les dictionnaires de médicaments. Dans sa jeunesse, elle avait rêvé d'être pharmacienne, mais s'était mariée à dix-neuf ans, était tombée enceinte à vingt, avait vécu sous une dictature à partir de vingt-deux ans et avait effacé la pharmacienne en elle à peu près au même moment.

Je ne me rendais pas compte alors que les manuels de santé qu'elle accumulait dans sa petite bibliothèque continuaient à crier le nom de ses rêves avortés. Stupidement, au début de l'adolescence, je me suis construite contre elle, contre ce qui la constituait, pensant que c'était bas, ordinaire ; méprisant sa culture, dédaignant ses lectures. Je ne me rendais pas compte que c'était justement parce qu'elle m'avait tant élevée que je pouvais maintenant la regarder de haut.

C'était pourtant elle qui m'avait donné ma langue maternelle, puis celle qui m'avait indiqué le meilleur chemin pour m'en éloigner. Au rythme des livres qui s'entassaient, une autre langue avait pris place entre nous. La langue des autorités, des douaniers, des services sociaux, de l'école, des ordres de ses patronnes. Je lisais désormais de la poésie et participais aux concours littéraires de mon école. La langue de la domination de ma mère était désormais devenue mon terrain de jeu.

## Savez-vous planter des choux?

À mon entrée au secondaire, mes parents ont changé de classe sociale et ont triomphalement pu quitter notre appartement d'Hochelaga-Maisonneuve pour une maison en banlieue. Ce n'était qu'un semi-détaché qui avait pignon sur rue dans les B, pas dans les S, comme chez les nouveaux riches de Brossard, mais tout de même, ils avaient réussi à quitter le béton de la ville pour sa banlieue sud, où ils étaient devenus propriétaires. Fini le temps où ils se souciaient de faire trop de bruit pour les voisins du bas ou étaient dérangés par ceux du dessus, plus de proprio à appeler pour quémander une réparation nécessaire: enfin ils ne dépendraient plus de personne.

Nos voisins de droite étaient des ouvriers francophones cordiaux qui arrivaient à jamais nous parler, ceux de gauche, des travailleurs portugais anglophiles qui nous saluaient avec un enthousiasme exagéré. Tout le monde avait des enfants, sinon ils n'auraient pas abouti dans les B à Brossard. Nos maisons étaient presque identiques et tous les enfants étaient sensiblement du même âge, mais en bons adolescents, personne n'était vraiment ami. Cela n'avait aucune importance, puisque pour la première fois en sol québécois nous avions une cour et bien que nous la partagions avec les Portugais, une rangée de cèdres réussissait à la séparer convenablement, garantissant l'intimité constitutive de notre ascension sociale. Le jour où nous nous sommes baignés dans notre propre piscine hors terre occupant toute notre portion de la cour, nous avons su que les temps de dénuement étaient derrière nous.

Chaque printemps amenait toutefois le moment fatidique où nous étions rappelés à notre précarité. Les voisins étendaient du fumier pour revigorer leur grand jardin au sortir de l'hiver. Ils faisaient pousser des tomates, de la laitue et des concombres comme bien des familles de la Rive-Sud, mais ajoutaient à ces classiques des années 1990 des poivrons, des haricots, du chou et des aubergines en quantités portugaises. Mes parents ne comprenaient pas. Faire pousser des légumes, c'était bon pour les pauvres. « *¡Cuando uno tiene un poco de plata, se compran las legumbres en el negocio** *!* » affirmait mon père entre ses dents en fermant la porte-patio. À la fin de l'automne, les voisins leur donnaient des choux. Dire que mes parents détestaient cela serait un euphémisme ; ils étaient mortifiés.

Ma mère avait grandi avec des poules dans sa cour. Pas deux, trois poules mignonnes qui s'appellent Gertrude comme il y en a chez certains hippies de Rosemont. Ou des poules comme dans le poulailler du prof de cégep qui vit à la campagne ou du hipster reconverti en fermier bio qui fait son retour à la terre. Des dizaines de poules vivaient à l'air libre dans la cour, faisaient du bruit, picoraient les grains étalés sur la terre et les cailloux et laissaient leurs plumes et leur merde partout où elles passaient. Pour ma mère, ça n'était pas du tout une image bucolique, ça représentait plutôt la cacophonie, la saleté, l'odeur caractéristique du manque et de la nécessité dont elle était prisonnière, le fumet de la misère.

---

* Quand on gagne bien sa vie, on achète ses légumes au magasin !

Le jour du fumier était le moment où cette réalité la frappait. L'odeur était le rappel annuel de notre entre-deux, de notre ascension sociale qui était aussi semi-détachée. Mes parents avaient beau être devenus des propriétaires en banlieue, leurs voisins faisaient pousser des légumes d'immigrants à même leur cour semi-commune, ça sentait la merde dans toute la maison et ils n'y pouvaient rien. Ils étaient offusqués comme si on leur déniait leur succès, meurtris comme si on reniait leur nouvel ancrage dans la pyramide sociale. L'odeur de fumier comme un stigmate.

Ils en parlaient durant une semaine, fermant toutes les fenêtres et se condamnant à une vie recluse. « Combien ils peuvent sauver d'argent ? Cinquante dollars ? Cent ? » Travailler tout l'été « comme des Chinois » pour sauver cent dollars de légumes était inconcevable pour mes parents, qui finissaient toujours par conclure : « *Mentalidad de campesinos** ! » Bien sûr qu'il leur était venu à l'idée que jardiner pouvait être un hobby et pas uniquement une question de besoin, mais pas de la façon dont le pratiquaient nos Portugais : à l'image des datchas russes, leur potager avait des proportions désespérées.

Les choux offerts par nos voisins étaient sans doute les plus détestés de toute la Montérégie et finissaient immanquablement à la poubelle. Avant même d'y toucher, ma mère savait qu'ils goûteraient l'amertume et la trahison. Comme si dans les replis de chaque été qui s'annonce, elle devait ravaler sa fierté pour subir lentement la vengeance de sa classe sociale tapie pas trop loin, au fond de son estomac.

---

* Mentalité de campagnards !

## Madame Brossard de Brossard

La première fois que je suis entrée dans un cours de sociologie au cégep, ce fut comme entendre ma langue maternelle. Ce n'était pas le seul langage qui rendait compte de la réalité ni même le meilleur, mais celui dans lequel je me reconnaissais. La langue de la sociologie disait classes sociales, exploitation, capital culturel, social, symbolique. Elle disait surtout domination, mais aussi, dans ses plus beaux moments, défatalité, possibilité d'échapper au destin social. On mettait en mots ma réalité. Bien avant mes premiers cours dans cette discipline, j'avais compris que nos trajectoires dépendaient de notre situation sur l'échiquier social. Je savais quelle était ma place et ce qu'il m'était réaliste d'envisager comme mobilité sociale.

Je devais avoir dix-sept ans et comme une petite blonde exemplaire, j'allais souvent rejoindre mon chum à son cégep. Il allait à Brébeuf, pas moi évidemment. Pour le retrouver, je devais prendre la 5 sur Grande-Allée pour arriver au terminus d'autobus qu'on appelait platement le terminus Brossard, mais qui s'appelait en réalité le terminus Panama, ce qui n'était pas particulièrement mieux. De là partait la 45, l'autobus qui traversait le pont Champlain pour se rendre à Montréal. S'il n'y avait pas de trafic, j'avais le temps de lire un chapitre de bouquin. Autrement, j'en avais pour quarante minutes dans un autobus accordéon. Au moins il y avait le fleuve à la fenêtre. La 45 s'arrêtait à Place Bonaventure, d'où je prenais le métro pour me rendre à la station Snowdon, entre dix et quinze minutes plus tard. Je changeais ensuite de la ligne orange à la bleue pour me rendre à Côte-des-Neiges, d'où je marchais vers le mont Royal. C'était la dernière étape, celle qui me semblait la plus longue de mon ascension pour accéder à la culture de l'école privée.

Après avoir gravi tous les échelons, j'arrivais en haut de la montagne dans un monde dont la violence symbolique me sautait aux yeux. Les voitures étincelantes et les souliers toujours propres de ceux qui en descendaient. Les vêtements pastel, immaculés, qui matchent. Les postures de ballerines des filles, l'aisance verbale des garçons, les dents droites et l'accent d'école privée. La disponibilité intellectuelle, la richesse du vocabulaire. La grâce, cette décontraction des corps. Les têtes avec des vraies coupes de cheveux, les bijoux discrets, la peau impeccable. Les corps parfaitement épilés avec des méthodes durables et efficaces. Les mains sans imperfections et les ongles sans saletés. Les marques sur les accessoires et jamais sur les corps. L'assurance inébranlable que le monde leur appartenait. Ils avaient bien raison.

J'étais inscrite à Édouard-Montpetit, le cégep le plus près de chez moi. Aux yeux des amis de mon chum, je n'étais plus Montréalaise, mais une banlieusarde. Ils blaguaient en m'appelant « Madame Brossard de Brossard », effaçant mes origines : le fait que j'avais vécu la majorité de ma vie à Montréal, dans ses quartiers les plus paumés, et surtout le fait que je n'étais pas née ici. Loin de me réjouir, je le ressentais comme une insulte encore plus vulgaire que lorsqu'on supposait que je ne parlais pas français à cause de ma couleur de peau. Ils faisaient de notre différence une affaire de choix personnel, d'école, pas de classe et encore moins de race, comme si à leur niveau, ça n'importait plus. Ils parlaient l'universel comme si nos expériences étaient similaires et nos cultures identiques.

Il était pourtant clair que je n'étais pas des leurs. J'avais beau fréquenter l'un d'eux, circuler dans leur cercle des heures durant, parler la même langue, tout me ramenait constamment à ces espaces qui nous séparaient. Lorsqu'ils parlaient de leurs vacances en famille à Paris, de leurs cours de tennis, de la dernière pièce de théâtre que leur mère les avait amenés voir à l'Espace Go, des croissants de la pâtisserie de Gascogne, des jolies filles de Villa Maria, de leurs anciens rivaux du Mont-Saint-Louis, de leur prochaine fin de semaine de ski avec leurs amis, des sushis pour le lunch, de leur scotch préféré goûté chez leur grand-père, d'Émile Ajar, de Peter Handke et des qualités intrinsèques de *Voyage au bout de la nuit* malgré le nazisme de l'auteur, le fossé se creusait. Je me voyais de l'autre côté d'une tranchée de plus en plus profonde tandis qu'ils étaient loin devant, au-delà de ce que je pouvais entrevoir.

Même lorsque j'avais passé une heure à me préparer pour cadrer dans le décor, plus rien de brillant ne sortait de ma bouche, mes cheveux ternes étaient en bataille et mes vêtements semblaient cheap. Je n'arrivais pas à résoudre l'énigme et me demandais continuellement comment ils faisaient pour être si à l'aise et si convaincus d'être bien à leur place. Le même sentiment me prenait lorsque je les entendais discuter de politique étrangère comme si c'était une joute oratoire sans aucune incidence sur le quotidien, un plaisir théorique sans conséquences sur de véritables êtres humains. Ils n'avaient pas tort, ça n'avait en effet aucun impact sur eux, leur avenir, leurs possibilités, l'horizon immense et clair qui s'étendait devant eux. Je me taisais. Nous étions si éloignés qu'ils n'entendaient pas le murmure de mes réalités.

Le monde qui les avait enfantés était le même qui nourrissait la domination de classe et ce monde parlait plus fort, en lieu et place de tous les autres. L'effroi me prenait dans l'autobus du retour quand je réalisais que si je grimpais l'échelle sociale, ce serait sans doute en intégrant les jugements, les habitus et les catégories de pensée des dominants.

Dans la 45, en sens contraire pour revenir chez mes parents, je réalisais que mon monde d'origine, incarné par ma mère, je ne pourrais jamais vraiment le désavouer. C'est elle qui ne m'a pas lâchée du regard lorsque je me suis perdue dans les chemins sans carte que personne dans ma famille n'avait pris avant moi, elle qui a pointé du doigt les obstacles pour m'éviter de trébucher, elle qui m'a tenu la main dans les grands carrefours même quand je m'éloignais de mes origines, elle qui a fièrement brandi pancartes et ballons à chaque fil d'arrivée, qui marquait pourtant le départ de mon milieu. Parce que c'est ma mère, elle qui a sacrifié chacun de ses jours et plusieurs de ses nuits pour me voir libérée des servilités et soumissions qui étaient les siennes, qui a souhaité le plus ma réussite. Parce qu'elle a prié la vierge Marie à genoux dans toutes les chapelles pour que j'échappe aux fatalités du destin social. Parce que même si je me construisais contre elle en embrassant les codes qui l'excluent, j'ai produit sa fierté. Parce que la trahison que l'ascension suppose était non seulement attendue, mais espérée.

La 45 était toujours pleine à mon retour et il n'était pas rare que je doive rester debout durant tout le trajet. C'était long pour m'y rendre, mais encore plus pour en revenir.

Vers la fin de la session d'hiver, au tout début d'un des longs voyages me menant dans les hauteurs de Brébeuf, j'étais lasse de lire *Bonheur d'occasion* que je trimballais depuis une semaine. Je me suis mise à observer les gens autour de moi, seulement des Blancs, sauf moi et le chauffeur d'autobus qui était asiatique. J'ai levé les yeux et mon regard s'est arrêté sur une série de publicités d'une école de francisation pour immigrants adultes. Le genre de pub qui montre des personnes racisées souriant de toutes leurs dents blanches et régulières, toujours propres et jamais fatigués, qui ont l'air de jeunes comédiens professionnels issus de la diversité ou d'expats français avec du cache-cernes plutôt que de travailleurs de Parc-Ex qui envoient la moitié de leur paye à leur famille restée au Pérou ou en Haïti.

Chacune des pubs présentait le portrait d'un immigrant type avec, écrit au-dessus, sa raison d'aller suivre les cours, souvent très pragmatique comme « pour me trouver un bon emploi ». Une publicité efficace avec un public bien ciblé. En les scrutant toutes, l'une des affiches m'a perturbée jusqu'à la moelle. Elle montrait un homme noir sans sourire, les épaules dignes et le regard franc, presque accusateur. Il y était écrit « pour qu'un jour je vous raconte mon histoire ». Je ne m'attendais pas à réagir de cette façon ; des larmes, grosses et intarissables, se sont mises à couler le long de mes joues basanées. Je les ai immédiatement reconnues : les larmes de ma mère.

Celles qui apparaissent dans l'isolement, la retenue, l'étouffement, l'indifférence, la perte d'identité, la honte d'être soi, invisible dans le décor d'un monde qui crie sa joie d'exister.

C'est dans ce bus, au début du trajet qui me menait à ce Brébeuf qui n'était pas mon école que je me suis promis que j'écrirais. Que j'écrirais fort, violemment, sans fioritures, comme si mes ancêtres, les sacrifiées, les anonymes laissées derrière lisaient par-dessus mon épaule. Écrire comme si les femmes qui m'avaient précédée sortaient de terre pour m'observer. Toutes les femmes. Les grosses, les affamées, les putes, les prieuses, les analphabètes, les crieuses, les maudites, les folles, les abandonnées, les chipies, les muettes, les commères, les alcooliques, les vierges, les sibylles, les voyantes, les aveugles, les éteintes, les effrontées, les battues, les colériques, les pleureuses, les haletantes, les violées, les tristes, les courbées, les sirènes, les offensées, les endolories, les increvables, les torturées, les lionnes, les chiennes, les déprimées, les écartées, les soumises, les mégères, les crevées, les fées, les mères, *las negras, las brujas* et les damnées.

Écrire comme une danse macabre ou un cri de révolte. Comme un souper échappé par terre par temps pauvre. Comme un cri primal devant une agression sexuelle. Comme la disparition d'un enfant après le coup d'État. Comme une décennie de dictature sur toute l'Amérique latine. Comme les larmes du silence durant les prières dans les sous-sols. Écrire mon histoire comme toutes ces femmes en moi à ressusciter.

## Ce soir l'amour est dans tes yeux

Avec notre déménagement sur la Rive-Sud sont arrivés les amis dont les parents s'absentent pour quelques jours. Pas qui disparaissent ou qui abandonnent, non, des parents qui partent en voyage d'affaires, en weekend d'amoureux, au chalet pour une longue fin de semaine et qui laissent la maison au soin de leurs adolescents afin de les responsabiliser.

Il va sans dire que les miens ne partaient jamais. Ou s'ils le faisaient, c'était avec nous. Quand nous partions, c'était à cinq, avec le thermos du Dunkin' rempli de café filtre et le cooler d'œufs cuits dur pour la longue route. La seule fois où ma mère est partie sans nous pour quelques jours, c'était pour aller aux obsèques de son père. Il ne vint jamais à l'idée de mes parents de prendre du temps pour leur couple ou pour eux seuls.

Mais les parents de mes amis n'étaient ni immigrants ni latinos. Ils quittaient de temps en temps leur foyer, laissant toujours de la bouffe dans le frigo. Mes amis en profitaient tous, sans exception, pour organiser des partys. Parfois ce n'étaient que de petites réunions à quatre ou cinq. Nous nous aventurions à mélanger tous les alcools disponibles dans la maison, quelques lampées de chaque bouteille, dans un punch inévitablement dégueulasse que nous buvions rapidement pour nous enivrer, même quand ça goûtait le cul. Plus rarement, on perdait le contrôle, et la petite fête devenait un *open house* où les amis d'amis invitaient leurs connaissances. On se retrouvait soudainement avec des dizaines d'inconnus et la musique dans le tapis d'une maison sur une des rues vides de la Rive-Sud.

Nos vendredis étaient généralement ponctués par ces soirées, surtout depuis que les gars de la bande nous avaient présenté leurs amis avec qui ils jouaient au hockey et qui allaient à l'école privée Charles-Lemoyne, Durocher ou au Collège Français.

Cette fois-là, la fête avait lieu chez un de ces gars du collège Jean-de-la-Mennais. Je ne savais rien de lui, si ce n'est qu'il habitait La Prairie et qu'il nous avait exceptionnellement invités un jeudi soir. Ses parents étaient partis à leur maison de campagne depuis le matin; ils avaient pris un long congé pour l'Action de grâce afin de profiter des couleurs de l'automne. À cette époque, je ne comprenais pas ce que des gens pouvaient faire face à un lac dans lequel il faisait trop froid pour se baigner. Un truc de Blancs, que je me disais en allant avec ma copine Gen chez le gars en question dont je ne connaissais que le surnom d'hockeyeur: Beauty.

Comme toujours lorsque nous nous rendions chez un garçon que nous ne connaissions pas, la fébrilité l'emportait sur la peur lorsque nous sonnions à la porte. Ce n'est pas lui qui a ouvert, occupé qu'il était à servir des shooters de tequila, mais notre ami JF. Il y avait déjà une quinzaine de personnes à l'intérieur, mais pour une raison quelconque, malgré les caisses de bière ouvertes un peu partout, l'ambiance était pesante. Des gars qui jouaient aux jeux vidéo, d'autres plus loin qui jouaient de la guitare, d'autres au baby-foot et quelques filles qui faisaient office de public écrasé sur les divans les regardaient. Blink

182 avait beau chanter *Wasting Time*, les gens ne se parlaient pas, et quand ils le faisaient ils chuchotaient et se tenaient trop bien pour un party digne de ce nom.

À peine entrée, une drôle de sensation m'envahit. Tout tourbillonnait, comme si j'étais déjà ivre. Je me sentais haletante, alourdie, prise à mon propre piège. J'aurais voulu m'allonger par terre, m'enrouler dans le tapis marocain, fermer les persiennes. On avait mêlé les cartes et, ensevelie dans les décombres de mes souvenirs, je ne m'y retrouvais pas. C'était palpable : quelque chose allait se passer.

Je sentais que je devais partir. Mais j'ai lentement commencé à me méfier de mon sentiment. Était-ce parce que c'était un jeudi ? Parce que je n'avais pas dit à mes parents que j'allais à un party mais dormir chez Gen ? Parce que Gen avait déjà une bière à la main et que c'était elle qui conduisait ? Parce qu'il y avait un ratio de quatre gars pour une fille ? J'étais menstruée, peut-être que je faisais juste une baisse de pression.

Mon regard zigzaguait d'un meuble à l'autre dans la décoration baroque et chargée de la maison, cherchant où se poser. Il choisit un garçon. Beauty était le seul qui avait l'air de s'amuser. Chaque fois que quelqu'un mordait dans une tranche de citron, il riait aux éclats. Son rire crépitait, cristallin et sincère, débordant comme celui d'un enfant. Sans le savoir, il m'a immédiatement calmée. Il s'est levé et j'ai pu observer de loin sa carrure. Les épaules larges, il était grand et avait la posture d'un gars qui avait suivi des cours de musique et vécu une enfance pleine d'assurance. Il bougeait peu et doucement, sans agressivité aucune. Coquettement, il passa une main confiante dans les ondulations de ses cheveux châtains. Je commençais à l'avoir dans la peau quand il remonta les manches de son chandail. Mon cœur fondit à la vue des veines sur ses avant-bras.

J'avais encore mon manteau sur le dos et les yeux scotchés sur Beauty quand mon ami JF mit la main sur mon épaule.

— T'es toute pâle, ça va ?

— Oui, juste un peu mal au ventre, ça va.

— Une chance que vous êtes là en tout cas, c'est un peu vedge ici.

— C'est silencieux... Il s'est-tu passé de quoi ?

— Non, la maison est comme trop grande, on dirait... Véro vient-tu ?

Mon amie Véro travaillait jusqu'à vingt et une heures. Elle était la seule en mesure de pimenter l'ambiance. Véro était une effrontée, une badass dont l'insolente désinvolture forçait les rencontres et provoquait les amitiés. En l'attendant, j'ai enlevé mon manteau pour me présenter au garçon sur lequel mon œil avait trébuché, mais lorsque je me suis dirigée vers la cuisine, il n'y était plus.

On cognait à la porte, désespérément ; c'était sûrement Véro, qui ne sonnait jamais. JF la fit languir, sachant que ça la rendrait furieuse. Avant qu'il ne lui ouvre, j'ai eu le temps de prendre un shooter de tequila, lécher le sel, mordre dans le quartier de citron et entendre Beauty dire d'une éclatante voix rauque qui me prit aux tripes, « Ok c'est l'temps de starter c'te party-là », en choisissant *Santeria* de Sublime sur son système de son.

Véro est entrée en sacrant. Je ne me trompais pas, à peine avait-elle franchi le pas de la porte qu'elle a senti la lourdeur du small talk qui s'ennuie. Elle a ouvert son sac en bandoulière du surplus de l'armée, en a sorti une grosse quille de Tornade déjà entamée, cala ce qui en restait sans même enlever sa tuque et offrit un rot de trucker provocateur en guise de salutation générale à la crowd. Elle me fit un clin d'œil en se dirigeant vers le système de son et, sans rien demander à personne, enleva le CD de Sublime pour le remplacer par du Cypress Hill avant de monter le son. Elle avait obtenu ce qu'elle voulait, tout le monde la regardait.

— Bon, qu'est-ce qu'on fait astheure? Shooters ou bouteille?

J'avais retrouvé Beauty. Son profil laissait voir un nez droit et impérial, exactement comme je les aimais. Souriant, il écoutait d'une oreille distraite. Il en était à remplir des bols de chips Hostess, goûtant successivement à chacune des trois sortes et prenant ensuite le temps de se lécher l'index, le majeur et le pouce. Il avait des doigts de cours de piano et de grandes paumes que je soupçonnais agiles et patientes. Avant de perdre la tête à m'imaginer l'avidité de sa bouche, je m'empressai de répondre.

— Je suis *game* pour la bouteille.

— Fuck yeah! cria Véro en mettant sa quille de Tornade vide par terre, sans attendre d'autre réponse.

Quelques gars firent semblant de rechigner. Pas Beauty. Il s'était retourné et je pus enfin voir son visage. La fine ligne de sa mâchoire, ses joues roses, sa bouche large, ses lèvres entrouvertes, ses dents droites post-broches. Il sourit, franchement content de la suggestion, et était encore plus beau que je ne me l'imaginais. Malgré sa carrure de joueur de hockey, il n'était pas le plus masculin. Tout en lui était délicat, doux. Léger, posé, aérien, à l'opposé de l'agressivité. Il faisait rêver.

Les autres gars prirent place sans trop se faire prier dans le cercle qui se formait autour de la Tornade sur le tapis du salon tandis que Beauty, qui ne m'avait pas encore remarquée, décapsulait une de mes bouteilles de Molson

Export avant d'en boire une grande gorgée en acquiesçant, satisfait, sourire en coin.

Voulant le moment parfait, j'ai sorti le CD des Fugees de mon sac-à-dos et choisi *Killing me soflty with his song*.

— *Good call*, a alors dit Beauty en se tournant vers moi pour la première fois.

Au moment où ses yeux gris ont plongé dans les miens, Lauryn Hill avait beau chanter, je n'entendais plus que ma déglutition. Il avait le fond des yeux triste, obscur, le genre de regard duquel je tombe toujours amoureuse. J'ai soutenu son attention, en tentant de ne pas trembler, de ne pas tressaillir, de ne pas sombrer. Notre échange de regards a fait taire la musique et cimenté notre rencontre. Le sien scrutait chaque racoin de mes pensées. Le mien s'est accosté au sien, souriant. Je suis devenue à la fois oraison et feu. Nous nous sommes absorbés.

Ravi, Beauty a intercepté mes prières et a ri. Il avait orchestré un orage. Il m'avait désorbitée. Mes yeux paniqués voulaient désespérément descendre au prochain arrêt, sans savoir comment faire. J'étais tout entière envahie par ce sentiment : les yeux de ce garçon m'avaient pénétrée.

D'où me venait ce sentiment si fort de déjà-vu ? C'est à ce moment que mes yeux ont buté sur le buffet en bois massif, sur la bibliothèque qui allait jusqu'au plafond, sur le foyer. Brutalement, j'ai eu la conviction que j'avais déjà été dans cette maison et que, dans ses yeux gris novembre, je m'étais déjà penchée.

— Non, dis-je à haute voix lorsque j'ai reconnu l'endroit.

Beauty venait de s'assoir face à moi et me souriait suavement, comme si nous avions tout le temps du monde pour faire advenir notre rencontre. Lui ne savait pas, ne me reconnaissait pas.

— Non, esti, non, dis-je cette fois en me levant, effarée.

Non, esti, non, ça ne se pouvait pas, j'avais déjà mis les pieds ici, fillette. Ça devait faire longtemps, les meubles avaient changé de place, la cuisine avait été refaite, les murs repeints, mais plus je regardais autour, plus je me savais en terrain connu : le samovar, le vaisselier en chêne, le grand escalier qui menait à l'étage. J'en étais maintenant certaine : je me trouvais dans une fête, comme si de rien n'était, à l'une des adresses où ma mère faisait le ménage tous les vendredis depuis des années.

J'avais déjà vu Beauty lorsque nous étions enfants. Il était le fils unique de la cliente de ma mère. Nous nous étions rencontrés lors d'une journée pédagogique, alors que j'accompagnais ma mère. J'avais pris mon livre du *Club des baby-sitters* et je m'étais assise en face de lui qui écoutait Musique Plus à la télé. Nous nous étions dit un allô maladroit et sommes restés assis ainsi, lui sur le divan, moi sur la causeuse, inconfortables dans notre silence durant toute l'émission, avant qu'il ne retourne dans sa chambre. Au dernier moment, juste avant de monter les escaliers si difficiles à épousseter, il m'avait longuement regardée et dit : « Natalia, c'est ta mère, hein ? Tu lui ressembles pas. »

Je n'avais pas aimé son verdict à l'époque puis, le ventre noué, j'ai réalisé que le Beauty d'aujourd'hui avait choisi un jeudi pour son party, jeudi parce que ma mère venait faire le ménage le lendemain.

Je me suis mise à regarder partout, en silence, avec ses yeux à elle : l'entrée couverte de garnotte. La table en bois et toutes les bouteilles déposées dessus sans sous-verre. La montagne de vaisselle qui s'accumulait dans l'évier. Les tranches de citron partout, le sel sur le plancher. Les vitres pleines de traces de doigts. Ce n'était que le début du party et je pouvais déjà compter six sacs de poubelle pleins de déchets à sortir.

J'aurais voulu commencer à ramasser. Éteindre les maudits cigarillos dans les cendriers. Les vider pour que ma mère n'ait pas à toucher ces saletés demain. J'aurais voulu tout nettoyer avant qu'une fille trop chaude ne vomisse sa Tornade, qu'une bière soit renversée, un verre cassé. J'aurais voulu arrêter la musique. Comment ça se fait que Cypress Hill était revenu ? Que faisaient-ils tous à écouter du Cypress Hill alors qu'il n'y avait aucun Latino et encore moins de Noirs dans la maison ?

J'ai pris ma Molson, celle de Beauty et suis allée les déposer dans la caisse vide, essuyant du mieux que je pouvais avec ma manche les gouttes qui étaient tombées par terre.

— Qu'est-ce que tu fais ? m'a demandé Beauty. Laisse faire ça.

Comme si j'avais besoin d'une dernière confirmation, j'ai regardé ses yeux cendrés. Oui, c'était bien lui. Il avait les yeux de sa mère.

— Je dois partir.

— Déjà ? Mais le party vient juste de commencer.

— Je dois rentrer. Je me sens pas bien.

Comme s'il avait lu dans mes pensées, il se retourna vers le système de son, arrêtant *Boom Biddy Bye Bye* en plein milieu du refrain que des gars connaissaient par cœur et chantaient allègrement. Tandis que les autres jouaient à la bouteille, Beauty remplaça le CD par *The Bends* de Radiohead et choisit la piste *High and Dry*. Avec de grands gestes, il s'est mis à danser et mon cœur aussi. Des yeux gris, un peu d'attention, de la musique de garçons tristes, c'est tout ce qu'il me fallait pour chavirer. L'étreinte était à portée de main, je devais quitter les lieux avant de l'embrasser. Sentant que je me défilais, il s'est approché de moi pour prendre une mèche rebelle de mes cheveux noirs et la replacer avec délicatesse derrière mon oreille.

— Allez, viens en haut. Ça va être plus calme, chuchota-t-il, enlaçant tendrement mes doigts aux siens.

Je savais exactement où se trouvait sa chambre : deuxième étage, deuxième porte à gauche, en face d'une des trois toilettes de la maison. Je me suis souvenue de sa collection de cartes de hockey éparpillées partout sur sa table de chevet quand il était enfant. De son walkman jaune qu'il laissait toujours traîner par terre. De l'affiche des tortues Ninja qui ornait sa porte. De la poignée toujours collante que ma mère essuyait chaque vendredi depuis des années. La poignée de porte que ma mère essuierait encore une fois demain.

Je fis non de la tête. Pour une dernière fois, j'ai plongé mes yeux dans les siens. Ils étaient aussi infinis qu'une déception amoureuse.

J'ai fait glisser ma main hors de la sienne et me suis dirigée vers la porte. J'ai replacé les souliers sur le paillasson, essuyé le plancher avec ma mitaine, mais j'ai laissé tout le reste à ma mère : les cendriers qui débordent, les bouteilles vides et les capsules partout, les miettes de chips sur le tapis, les traces de crottes de fromage sur le divan, les petits sachets de weed sur le comptoir, les papiers à rouler sur la table, les verres, les tonnes de verres partout, des verres qui rempliraient le lave-vaisselle, les essuie-tout imbibés d'alcool renversé, l'odeur de cigarillos à la vanille qui s'incruste et qui prend des heures à éventer, les toilettes, les esti de toilettes où des dizaines de gars saouls ont pissé.

Je suis partie, laissant Beauty sur le carreau. Gen m'a suivie. C'était une bonne amie, elle ne m'a pas bombardée de questions. « Attends, il m'a donné ça pour toi », me dit-elle tout en prenant les clés de sa voiture dans son sac pour me ramener. J'ai déplié le papier qu'elle m'avait tendu. Un numéro de téléphone.

Personne n'avait de cell à l'époque. C'était le numéro de la ligne de la maison. Le même numéro d'où sa mère appelait la mienne pour annuler quand la famille partait en voyage de ski et que ma mère se trouvait en congé forcé. J'ai soupiré, replié le papier et une fois dans la voiture, fouillé dans la pochette à CD de Gen. J'ai rapidement trouvé *The Bends*, mis *(Nice Dream)*, fermé les yeux et appuyé ma tête contre la vitre tandis que mon amie conduisait. J'aurais voulu qu'il orage, mais il ne pleuvait même pas. Tout était sec et les arbres aux couleurs d'automne, magnifiques sur la route, se dressaient impassibles et majestueux.

J'ai gardé le numéro trois jours dans ma poche de jeans. Puis, ma mère les a ramassés sur le plancher de ma chambre en bazar pour les mettre au lavage. Le papier m'est revenu froissé, illisible, vain.

# Manger ses bas

Ma mère et moi étions autour du comptoir de la cuisine, comme nous en avions l'habitude quand je n'avais pas de cours avant la fin d'aprèm. La journée de ma mère avait commencé depuis longtemps. Elle avait eu le temps d'aller faire le ménage dans une maison, d'en revenir, d'entamer la préparation d'une quelconque étape du souper et de s'atteler seule aux tâches domestiques de notre maisonnée. C'est autour de ce comptoir que nous avons eu les conversations les plus importantes, sans jamais nous regarder, elle affairée au four, à la vaisselle et au ménage ; moi assise, mangeant ma toast, mes œufs, un verre de jus d'orange à la main, lisant à la dernière minute un texte pour l'université, étudiant les déclinaisons pour mon cours de russe, lisant distraitement *Le Devoir* en chialant sur la politique nationale. Ce que ça devait être doux-amer pour elle de me voir à la fois émancipée et si indifférente à sa réalité.

Dans un nuage d'ail et d'oignons sautés, je parcourais en silence mes notes de lecture pour mon cours sur Rawls quand je me suis aperçue qu'elle avait une maille à son bas collant. Toujours coquette et d'une apparence irréprochable, ma mère m'avait appris à les réparer en mettant du vernis à ongles transparent dessus. Je l'ai donc avertie pour qu'elle les reprise au plus vite. Pendant qu'elle sortait son vernis du frigo, je me suis rappelé l'histoire qu'une amie m'avait racontée. C'était le genre d'histoire faussement émouvante transmise de bouche à oreille pendant des années avant d'arriver à moi. Vraie ou pas, je l'avais trouvée belle et l'ai répétée à ma mère tandis qu'elle raccommodait ses bas.

— Je sais pas si c'est vrai, mais une amie m'a dit qu'avant, les femmes nobles portaient des collants sous leurs jupes. Des beaux bas collants blancs et épais. C'était des sous-vêtements luxueux qui coûtaient très cher, ça fait que les femmes pauvres pouvaient pas se les payer. Mais elles avaient trouvé le moyen de les imiter. Elles se rasaient les jambes et les peinturaient en blanc, ça mimait un peu la texture lisse et épaisse des collants, tsé, qu'elles ne pouvaient pas s'offrir. Pis supposément que c'est de là que ça vient l'idée de se raser les jambes. Incroyable, hein?

Le visage de ma mère s'est transformé. Sa bonne humeur s'est dissipée d'un coup, cédant à la mélancolie qui la gagnait doucement mais de façon irrépressible. Elle a détourné le regard avant que, presque imperceptiblement, ses yeux ne se transforment en bruine. Le silence était lourd. J'avais du mal à comprendre son changement d'humeur. Je n'ai rien dit, ne voulant pas brusquer ma maman si douce et sensible. On entendait encore les oignons crépiter dans la poêle, mais ma mère s'était tue. Il n'y avait plus que Fiori, Garou et Lavoie chantant *Belle* à la radio pour meubler notre silence qui cognait aux murs : *Belle, malgré ses grands yeux noirs qui vous ensorcellent /La demoiselle serait-elle encore pucelle ? /Quand ses mouvements me font voir monts et merveilles / Sous son jupon aux couleurs de l'arc-en-ciel...* La chanson était interminable, d'une violente impertinence.

Ma mère vaquait à ses occupations comme si de rien n'était tandis que je ne la quittais pas des yeux, suivant ses mouvements, de l'évier au four, du four au frigo, du frigo à la poubelle. Je la sentais souffrir alors qu'elle faisait de la cuisine le théâtre de sa retenue ; je la voyais trembler, se maîtriser et récurer comme si sa vie en dépendait. Puis, tenant le couvercle de la poubelle d'une main, elle s'est tournée brusquement vers moi et m'a dit en français, d'un seul souffle pour ne pas se mettre à pleurer : « Si j'avais vécu dans ce temps-là, j'aurais été une de ces pauvresses. J'aurais été obligée de raser mes jambes. De les peinturer. J'aurais pas eu de nylons. »

Si les femmes ont toujours usé de subterfuges pour correspondre à des idéaux de beauté insensés, pour les femmes comme ma mère, ces idéaux resteraient inaccessibles. Ma mère, pourtant si belle, avait été de ces filles qui devaient trouver des moyens détournés pour suivre la mode. À dix-huit ans, l'âge que j'avais quand je lui racontais cette stupide histoire de bas collants, elle utilisait de vieux ciseaux pour courber ses cils. Elle recyclait des vieux rouges à lèvres pour en faire du fard à joues. Elle faisait tenir ses cheveux avec sa salive. Elle tricotait avec des clous des vêtements ressemblant un tant soit peu à ceux qui étaient exposés dans les vitrines des boutiques où elle n'entrait jamais. Peu importe que l'histoire des jambes rasées et peintes en blanc soit une totale invention, elle parlait d'elle, de cette jeune fille aux genoux cagneux et à l'air languide qui ne la quitterait jamais.

J'aurais dû m'en douter : le réflexe de ma mère serait toujours de se reconnaître dans le rôle de la fille vilaine, en repli, dans un monde qui l'assujettit. Ce serait pour toujours sa vision profondément intériorisée d'elle-même. Elle avait beau être propriétaire d'une jolie maison à

Brossard, posséder deux voitures, un garage et une piscine hors terre, ma mère s'identifiait toujours aux filles en haillons. Elle se voyait parmi les indigentes qui doivent manger leurs bas. Son enfance lui avait assigné cette place, c'est là qu'elle logeait. C'est ce qui d'elle demeurait.

## La fureur, la fureur, la fureur

Le Québec, comme toutes les terres d'accueil, aime présenter les réfugiés comme des *success stories*: parler des conflits internationaux dont ils ont été des victimes, leur opposer le modèle d'intégration nationale puis brandir triomphalement la réussite des Michaëlle Jean, Kim Thúy, Dany Laferrière. Souligner la réussite de celles qui sont devenues docteures, le succès de ceux qui sont désormais avocats.

On ne sait jamais ce que sont devenus les réfugiés ordinaires qui s'emmerdent à Rivière-des-Prairies ou, pire encore, les réfugiés échecs. On n'en parle pas, ils n'existent pas. On ne dit pas les réfugiés silence.

Que sont devenus les autres enfants de la classe de madame Thérèse? Peut-être que le petit Turc ramasse aujourd'hui des botches qui traînent et des canettes vides le jour du recyclage sur le bord du trottoir de l'avenue Coloniale. Que l'Haïtienne a désormais quarante ans, pas d'enfants et fait toujours la fête à la Salsathèque ou au Balattou en accumulant les robes fuchsia et les amants d'une nuit. Que le Salvadorien travaille à l'usine et regarde *Sábado Gigante* avec son câble international et sa dépression alcoolique la fin de semaine. Que le Kurde intégré fait la même chose avec sa 50 tablette et *La poule aux œufs d'or*.

Je n'en ai aucune idée. Le plus probable est que la majorité vit en banlieue avec son indice synthétique de fécondité de 1,88, à écouter hurler *La Pat'Patrouille* avec ses enfants en rédigeant la liste d'épicerie pour le Super C, comme tout le monde.

Rendue au cégep, on me trouvait donc déjà intégrée. J'avais appris la langue, je disais oui, je disais merci, je sacrais avec parcimonie et au bon moment. Je ne demandais jamais rien, travaillais d'arrache-pied à l'école comme mes parents faisaient à laver des toilettes. Si parfaite que je n'avais pas d'accent, pas de dettes, pas de fardeau, pas de récriminations. Je ne refusais rien. Un emploi, un ami, une invitation, un conseil, une consigne, une directive, un commentaire méprisant, une injure, deux millions d'humiliations. Je ne laissais jamais deviner la confusion anxieuse, la haine sous les sourires, l'insécurité qui enveloppe les nuits. Je me confondais dans la masse, j'avais les mêmes valeurs, les mêmes vêtements, les mêmes références et faisais semblant d'avoir la même histoire. Élève exemplaire, hautes aspirations, tenue irréprochable, vocabulaire riche, sens du collectif. À force d'avoir l'appartenance comme seule obsession, j'étais devenue une immigrante exemplaire. Un esti de modèle d'intégration.

Un jour de tempête et de Vilain Pingouin, dans la nuit assez avancée, tandis que je tentais vainement d'attirer l'attention d'une petite vedette locale aux Foufounes électriques, j'ai arrêté de respirer. Je venais d'entrer à l'université et un de mes amis du secondaire s'était enlevé la vie. Il s'était asphyxié à l'aide d'un sac de plastique. Même si je n'ai pas récité de chapelets comme ma mère, j'ai tant pleuré que je jurerais sur la tête de mes ancêtres que le fleuve était en crue.

Je suppose qu'on peut dire que c'est là que je suis véritablement devenue Québécoise : avant l'âge de vingt ans, comme les autres, j'avais un pote qui s'était suicidé.

## Le temps des bouffons

J'étudiais en sociologie à l'Université de Montréal quand avec mes camarades de gauche, nous avons fondé un festival annuel de films engagés. Pour la première édition, nous avions invité Pierre Falardeau à venir présenter *Le temps des bouffons*, qu'on avait dépoussiéré pour l'occasion. Falardeau avait filmé le banquet en l'honneur du bicentenaire du Beaver Club, club privé fondé par des marchands de fourrure, montrant la bourgeoisie coloniale danser et manger, revêtue des habits de la domination. Après la projection du court-métrage, il a discuté de colonialisme et de souveraineté avec la centaine de jeunes adultes emballés que nous étions.

Faisant partie du comité organisateur du festival, j'ai eu la chance de me retrouver ensuite avec lui et quelques comparses pour une bière à laquelle il avait promptement acquiescé. Dans le sous-sol du bar, je me suis assise à ses côtés.

Quelques années auparavant, Falardeau avait publié son essai *La liberté n'est pas une marque de yogourt* dont le sujet est venu sur la table en même temps que la deuxième tournée de pintes. S'en est suivi une longue discussion sur l'indépendance nationale où nous n'étions évidemment pas d'accord : certains étant indépendantistes réformistes, d'autres des anarchistes du black bloc. L'UdeM rassemblant peu de gens à gauche, il arrivait souvent que nous soyons tous assis à la même table sans nous entretuer. Certains de mes amis ont ensuite entrepris un débat interminable et houleux sur les meilleures façons de faire la véritable révolution. Le genre d'échange qui sonne la fin de soirée, qui harasse tout le monde, sauf deux ou trois mecs insupportables qui se décrètent camarades du peuple et répètent intarissablement les mêmes arguments chaque fois qu'ils ont un public. Profitant du silence agacé de Pierre Falardeau et de notre proximité, l'idée de lui raconter mon histoire de petite refugiée qui voit pour la première fois un pot de yogourt Liberté m'a traversé l'esprit. Je ne sais pas ce qui m'a pris, je ne l'avais jamais racontée à personne auparavant et choisir comme premier interlocuteur Pierre Falardeau pour une histoire aussi personnelle me paraît aujourd'hui aussi amusant qu'insensé.

Je lui ai donc tout dit : notre périple de demandeurs d'asile, notre confinement à l'hôtel, notre séjour chez la famille chilienne. Je lui ai raconté l'appétit et le désir, le yogourt, la liberté et surtout la honte. Il a écouté patiemment, jusqu'au bout, l'air attentif et ses yeux vifs, attendris. Quand j'ai fini, il a mis sa main sur mon genou avec douceur et bienveillance puis, un sourire coquin et moqueur se dessinant sur son visage, l'a retirée et a dit nonchalamment : « Est ben pathétique ta p'tite histoire ! »

Je ne savais pas quoi répondre. Il devait être une heure du matin, je venais d'ouvrir mes tripes à ce personnage incontournable du Québec, cet homme que je respectais et du revers de la main, il ridiculisait mon vécu et se moquait de mes vulnérabilités.

« Va donc chier, *man*. » C'est tout ce que j'ai trouvé à dire à Pierre Falardeau, monument du cinéma québécois.

Il est resté interdit, puis a éclaté d'un rire en cascade et ses yeux se sont mis à pétiller de nouveau.

Je ne suivais plus la conversation, tout offusquée que j'étais. C'est la chanson des *Mystérieuses cités d'or* que tout le monde avait entonnée qui m'a réveillée de ma torpeur.

Depuis la fin de l'adolescence, presque tous les hommes avec qui j'ai été m'ont parlé de Zia. Je pense que bêtement, ils s'imaginaient trouver quelque chose d'elle en moi, comme une clé vers un eldorado exotisé, une complice pour l'aventure de leur propre vie. Ils ont dû être déçus. Pourtant, ils auraient pu deviner qu'à l'âge où je refermais furieusement le poste de télé en entendant « Enfant du soleil », je ressemblais davantage à Tao avec sa face de singe qu'à une énigmatique Zia, secrète et silencieuse.

Il n'en reste pas moins que tous mes camarades de l'université se rappelaient avec nostalgie les fameuses cités d'or et citaient cette émission comme un phare de leur enfance. En pleine lutte contre le Sommet des Amériques, je ne sais à combien de rencontres virées en partys de gens de gauche j'ai été où, immanquablement, un petit futé s'est mis à chanter « Ahhhhh ahhh ahhh ahhhhh ahhhhhhhhhh ! Esteban, Zia, Tao, les cités d'oooooooor ». Je ne sais combien de fois je l'ai chantée en chœur avec eux, aux petites heures du matin, alors que la petite fille ressemblant à Tao en moi était épuisée et avait juste envie de vomir de mépris et partir, trahie.

Cette fois, j'ai regardé Falardeau, qui ne connaissait pas la chanson. Je lui ai dit « c'est la toune d'une émission de leur enfance. Eux aussi sont nostalgiques de la colonisation, je pense ».

S'il avait su, le pauvre, que lorsqu'à présent je vois du yogourt dans mon frigo, c'est maintenant à lui que je pense plutôt qu'à mon premier mouvement d'audace en ce pays. Peu importe la marque, peu importe la grosseur du pot, aujourd'hui ma rencontre avec lui s'est substituée à ma petite anecdote pathétique de liberté. Je lui en veux encore un peu. Sans le savoir, il m'a dépossédée de mon histoire pour la remplacer par la sienne.

Lorsque je suis revenue chez mes parents cette fin de semaine-là et que j'ai raconté ma rencontre avec maints détails à ma mère, elle m'a écoutée en silence, souriant et caressant de ses mains usées mes cheveux noirs, comme elle avait l'habitude de le faire lorsque je monologuais.

Quand j'ai eu fini, elle m'a demandé : « *¿Quién es, Pierre Falardeau ?* * »

---

* C'est qui, Pierre Falardeau ?

# La révolution tranquille

D'habitude après les manifs avec les anarchistes, nous allions au Yer'mad pour jouer au baby-foot ou au Café Chaos si nous savions déjà que nous voulions fermer le bar, les oreilles abîmées. Cette fois, j'étais avec un groupe éclectique, rassemblant quelques féministes radicales de l'UQAM, un vieux pote d'extrême gauche, mais surtout des gens en socio et anthropo de l'UdeM, dont une fille que j'aimais bien, qui ressemblait à toutes les étudiantes du département : féministe, blanche, enthousiaste, optimiste, pleine de bonnes intentions.

Après la marche annuelle du 8 mars, peu après qu'un junkie nous ait traitées de mal baisées devant sa copine éméchée, nous nous sommes arrêtés à l'Amère à boire. Entre quelques pintes de blonde, l'étudiante en anthropo se lança dans une tirade : « Je comprendrai jamais que des femmes soient pas féministes. Ça va tellement de soi être féministe pour moi. Même mon arrière-grand-mère, on peut dire qu'elle était féministe avant le temps, en tout cas elle ne se laissait pas dire combien d'enfants elle devait avoir par le prêtre. Pis ma grand-mère Jeannette était résolument féministe... comme presque toutes les femmes de sa génération, non ? Elle faisait partie de celles qui ont soutenu Morgentaler ! Alors pour moi, tu vois, être féministe, c'était pas une question, c'était juste évident. Comme pour toi, j'imagine. »

La violence de sa désinvolture, de son « ça va de soi » m'a fait le même effet, tranchant, qu'un stroboscope. Chacune de ses phrases, une lumière vive, intermittente, un flash tapageur. Penser que durant la Révolution tranquille tout le Québec était prêt. Penser que les gens sont naturellement affranchis, libérés et à gauche. Penser que cette grande Histoire n'écarte pas la majorité qui vit dans ses ourlets. Qu'il doit être validant de se reconnaître dans la marche du monde, celle toute tracée et apprise à l'école, celle qu'on retrouve dans les manuels scolaires, celle qui parle plus, mieux, celle qui laisse des traces.

La première fois que j'ai senti qu'un livre parlait de ma famille, c'est quand j'ai lu *Les misérables*. J'ai alors compris l'universalité de la misère. À vingt ans, j'ai lu Victor Hugo et ça a agi en moi comme une révélation. *Les misérables*, c'était presque l'environnement de ma grand-mère mis en mots un siècle auparavant par un Français qui n'avait jamais mis les pieds au Chili et dont la famille de ma mère n'avait jamais entendu parler.

Pourtant, pour moi encore aujourd'hui, les deux sont liés, les images décrites par l'une se superposant au récit de l'autre. Chaque fois que quelqu'un prononce le nom de Victor Hugo, je pense à la vie tragique de ma grand-mère, à son enfance sous le signe de la faim et de la cruauté dans les bas-fonds de l'Amérique latine, au vieillissement précoce qu'impose la fatalité, au sort encore plus déplorable des femmes, à tout ce qu'engendrent le manque, les privations, les vexations à l'âme.

Mon féminisme n'est pas issu d'un mythe fondateur où ma grand-mère, au diapason des femmes éduquées et libérales de son époque, aurait lutté pour le droit à l'avortement. Je n'en ai pas hérité par osmose, je l'ai arraché à la terre, parce qu'il était enfoui bien profond sous toutes les vies rêvées et les espoirs déçus des femmes de ma famille. L'avortement est illégal au Chili, la contraception mal vue. Comme femme, qu'aurais-je dû sacrifier si j'y étais demeurée ? Chaque mouvement d'affranchissement, aussi imperceptible soit-il, a pesé lourdement sur leurs consciences et sur leurs vies, charriant son lot de douleurs et de deuils : ma grand-mère qui a quitté son mari, ma mère son pays. Plus je vieillis et plus je me rends compte que leurs révolutions tranquilles, elles les ont charriées comme des pénitences.

Ma grand-mère a fait un seul pas de travers et a incarné le Confiteor toute son existence durant, tel un stigmate, convaincue qu'elle irait en enfer. Si elles ont vécu à la même époque, ma grand-mère n'avait rien en commun avec ce type de Jeannette ; un univers les séparait.

Je n'ai pas dit grand-chose à mon amie. Seulement que ma grand-mère ne se considérait absolument pas féministe. Et qu'elle n'avait jamais lutté pour rien, si ce n'est que pour sa survie.

# Qui prend mari prend pays

Rapidement après mes études, j'ai occupé le métier de mes rêves. Bien loin de l'enfant invisible traînant dans une banque désertée par ses employés, j'ai trouvé ma place sur un fauteuil qui tourne : je suis devenue prof de sociologie au cégep. Toutefois, j'ai toujours eu de la difficulté à percevoir mon gagne-pain comme une job. Parce que ce n'est pas un emploi où j'ai un boss qui pourrait me montrer la porte demain matin. Ce n'est pas un travail qui me salit les mains, qui me fait baisser la tête, qui sent le filtre sale de la machine à café, le plastique des distributeurs d'eau et un mélange de Windex et d'eau de Javel.

J'enseigne depuis plus d'une décennie le cours *Sociologie du Québec*. Je parle de la Révolution tranquille, de socialisation de genre, d'évolution des taux de suicide, d'intégration à la société québécoise, de racisme institutionnel, de classes sociales. J'enseigne les coordonnées sociales du Québec avec les mots que la sociologie m'a offerts, comme s'ils étaient les miens. Je suis payée pour lire, pour écrire, pour penser, pour parler en avant de la classe. Des dizaines d'yeux, jeunes et vifs, me regardent, m'observent. Ces jeunes m'écoutent leur expliquer le vivre-ensemble. M'écoutent leur révéler la part du social chez les êtres humains. La sociologie m'a fait devenir parole.

Comme si ce n'était pas assez, j'ai pu promener ma parole à travers le monde. Lors d'un voyage à Lisbonne, j'ai croisé un beau grand Suédois avec qui j'ai entretenu une relation à distance durant deux ans avant qu'on décide de se marier. Ma mère, qui avait rêvé toute sa jeunesse d'être pharmacienne, ne se pouvait plus : un gendre blond, scandinave, pédiatre. À la loterie de la vie, j'avais pogné le jackpot des maris.

Je revenais d'une énième traversée de l'Atlantique pour retrouver mon fiancé durant quelques semaines, et mes parents, dévoués comme toujours, étaient venus me chercher à l'aéroport. Nous roulions en voiture et je leur parlais de sa famille, son père aussi médecin, sa mère issue de la noblesse suédoise, doyenne d'une faculté de droit, quand ma mère m'interrompit : « Mais qu'est-ce qu'il te trouve ? »

On pourrait croire qu'il était incongru pour la fillette aux genoux cagneux en elle de voir celle que j'étais devenue, mais ce serait mal connaître ma mère, qui non seulement m'appelait *mi reina*, mais qui le pensait. Depuis longtemps, je n'étais plus une jeune réfugiée à ses yeux, mais une femme privilégiée, bourgeoise, qui vivait sa vie en pleine lumière, qui expliquait à des petits Québécois leur propre société, qui avait le loisir de voyager partout dans le monde, de se payer une relation à distance, de lâcher momentanément sa job pour aller vivre son nouvel amour à Stockholm.

« Mais qu'est-ce qu'il te trouve ? » marquait la distance de classes que j'avais franchie, mais aussi ce qu'elle savait tapi en moi. Ce n'est pas qu'elle questionnait la légitimité de ma place, seulement elle me savait moins confortable dans une robe de bal qu'entourée de travailleurs à l'heure de pointe dans le métro bondé. Elle savait que c'est dans la foule d'un autobus trop chaud, à écouter les ragots des uns et lisant par-dessus l'épaule des autres que je me sens partie du collectif. Elle le savait, mais moi pas encore. Quelques mois plus tard, j'ai tout laissé en plan, et je suis partie vivre en Suède. Et j'ai failli y laisser ma peau.

J'étais enceinte, et vivre ma première maternité reléguée à la sphère domestique dans un pays dont je balbutiais la langue a rouvert des cicatrices dont j'ignorais l'existence. Malgré l'indépendance financière, malgré l'ascension sociale, malgré la culture, je n'ai pu m'y faire. Être de nouveau l'Autre. Être loin de tout ce que j'avais si durement fait mien. Me retrouver encore une fois anonyme, muette, dans une ville magnifique, riche, froide. De nouveau, je n'étais plus chez moi. Stockholm, mon diamant, mon palais de glace, ma cloche de verre.

Je suis revenue au Québec transie, me demandant moi aussi « Mais qu'est-ce qu'il te trouve ? ».

## Je connais mon alphabet

Personne ne m'a dit : trouve un moyen d'être toi-même dans ce corps qui est le tien, invente une manière de conjuguer français et espagnol au lieu de les cloisonner. À la place, j'ai compris la hiérarchie dans la cour d'école primaire, dans les vestiaires de la piscine municipale, dans l'autobus scolaire, dans les magasins où je me faisais suivre à partir de douze ans dès qu'on ne m'entendait pas parler français sans accent. J'étais louche.

Nous n'avons jamais cessé de parler notre langue maternelle à la maison, mais avec le temps, elle est devenue intime, reléguée au domaine familial. Mes parents voulaient que leurs enfants s'intègrent. Ils désiraient un meilleur avenir pour nous, et ça passait nécessairement par un détachement de nos racines, par une atténuation de ce que nous étions. Nous ne renierions jamais nos origines, mais nous avons appris à les garder dans le domaine privé, dans le tiroir folklorique secret, au fin fond de la sphère domestique.

Au bout de quelques années, je n'utilisais plus l'espagnol que pour le blabla journalier, les banalités quotidiennes, les négociations habituelles que suppose la vie de famille latino-américaine, passe-moi le pain, non pas de beurre, non je ne fais pas de diète, arrête, je ne suis pas maigre, je rentrerai tard ce soir, non sans doute plus tard, oui les filles seront là, non il n'y aura pas de garçons, pas de boisson, oui oui je vais téléphoner. Des banalités et des rengaines, rien de significatif ne s'y jouait jamais.

Rapidement la langue dans laquelle on m'avait bercée est devenue approximative, craintive et discrète. Je la parlais au foyer, mais elle a arrêté de me servir pour dire le monde dans lequel je me trouvais, pour m'inscrire en lui et me penser. Le français a remplacé l'espagnol, que j'ai peu à peu déserté. Il me l'a bien rendu.

C'est toujours le prix à payer pour changer de classe sociale. Le lieu où il devient chaque jour plus difficile de retourner. Aujourd'hui, quand j'entends mon fils parler parfaitement le français et le suédois, quand je le vois déjà s'intéresser à l'anglais, mais répondre timidement et avec une pointe d'agacement à une question en espagnol, j'ai honte. Pas de lui, qui accueille les mots avec faim et candeur, mais de moi qui n'ai pas su dépasser l'embarras et l'opprobre reliés à ma langue maternelle.

À trois ans, il avait déjà compris que cette langue n'était que chuchotements subalternes. Je la cachais, la murmurais en étrangère ne voulant pas se faire démasquer, la gardais secrète entre nous pour nous dire que nous nous aimions, mais aussi pour ne pas nous faire repérer. Une langue tanière qui bat en retraite. C'est la seule langue qui, pour lui, n'est pas entièrement synonyme d'émerveillement et de fierté et c'est de ma faute, la faute de mon histoire, de mon bagage troué d'immigrante. Je n'ai pas su libérer son espagnol des avanies subies par le passé, du mépris et du déshonneur qui lui sont rattachés. Mon appréhension a fini par faire faner prématurément son enthousiasme, transformant l'espagnol en une langue inquiétude qui peine à exister.

Je n'en ai réalisé les ravages qu'une fois adulte, lorsqu'est venu le temps d'endormir mon premier né. J'ai entendu mon chum suédois lui fredonner les chansons que son grand-père avait chantées à son père et que son père lui avait chantées à son tour. Moi, je n'avais pas de berceuses à lui murmurer dans l'opacité de ma langue maternelle. Les berceuses en espagnol étaient depuis longtemps disparues de ma mémoire, décollées de moi. J'avais délaissé ma propre langue, elle était devenue furtive et sans que je m'en rende compte, elle m'avait fuie.

J'ai cherché comptines et berceuses sur Internet, mais j'aurais dû les apprendre artificiellement par cœur. Celles en français ne m'avaient jamais entièrement appartenu. Si je les connaissais, c'était à cause de la télévision et de mes amis. J'avais été bon public, je les avais tant entendues qu'elles s'étaient accrochées à ma mémoire, mais je ne les avais jamais vécues ; personne ne me les avait chantées quand j'avais eu sommeil, quand j'avais eu peur, quand c'était noir ; elles ne m'avaient jamais été adressées, elles ne m'appartenaient pas. Elles ne logeaient pas là où le cœur bat et les souvenirs perlent. En tentant de les redire, j'avais l'impression de jouer à chanter des berceuses, de simuler douceur et réconfort, de feindre la proximité. Je ne pouvais pas être cette mère ventriloque.

Je n'avais plus de langue maternelle, que des imitations de flasques mélopées. La nuit venue, mon bébé s'est donc endormi des années durant au son lent et méticuleux de l'alphabet, répété autant de fois que nécessaire. Soir après soir, en le berçant sur une vieille chaise en bois glanée dans une vente de garage, je lui ai doucement chanté en français la seule chose que je me suis vraiment appropriée, la chanson de l'alphabet. Des lettres, toutes les lettres, c'est tout ce que j'ai trouvé à lui transmettre pour l'apaiser contre mon sein au fléchissement du jour. *A-b-c-d-e-f-g. H-i-j-k-l-m-n-o-p. Q-r-s-t-u-v-w. X-y-z. Je connais mon alphabet, c'est à toi de le chanter.*

## Love can move mountains

Un jour, sans crier gare, alors que j'étais déjà trentenaire et enceinte pour la deuxième fois, ma mère est arrivée chez moi avec un sac de plastique à la main. À l'intérieur, tout le contenu du tiroir de sa commode, plein de nos trésors, accumulés au fil du temps. Tout y était. La médaille de la compétition de natation, le diplôme pour le concours de calcul mental, l'article de journal avec ma photo, le cœur pour la Saint-Valentin, le prix du concours de nouvelles, les poèmes qui riment et les acrostiches. Plus de deux décennies de tri, de sélection, d'écrémage, pour finir dans un vulgaire sac de chez Jean-Coutu. Je n'aurais pas à retrouver ce florilège de notre enfance à son décès en vidant la maison avec émotion. Ce sac de la nostalgie m'était remis par ma mère, comme si elle avait démissionné de ses fonctions.

Mon père et elle s'étant séparés, elle déménageait pour la troisième fois en autant d'années et elle voulait se débarrasser le plus possible du superflu. Elle reprenait, à soixante-cinq ans passés, le contrôle sur sa vie et ça supposait aussi de se délester de ce qu'elle avait enduré pour nous, du poids des sacrifices qu'elle avait portés durant toutes ces années loin de sa terre natale, de chez elle, afin de nous laisser davantage de liberté. Elle me rendait donc le symbole de son sacrifice, un geste qui semblait dire « ma job est faite, je vais essayer de trouver qui je suis maintenant que je n'ai plus à passer en dernier ». Le sac, une dernière offrande, le legs de ce temps désormais derrière elle.

En ouvrant le sac une fois ma mère partie, c'est davantage à elle que j'ai pensé qu'à moi-même. Les rares souvenirs que j'avais d'elle au Chili me sont revenus, indélébiles. Elle qui chantait fort en s'accompagnant à la guitare, ses cheveux noirs, libres et ondulés, sur le perron de notre maison. Elle qui se déguisait pour faire du théâtre pour les enfants avec sa sœur comédienne. Elle qui riait aux éclats avec ses copines, potinant et mangeant goulûment des pâtisseries et des tartines à l'avocat à l'heure du thé. Elle est là l'image que j'ai de ma mère au Chili, une femme épanouie, ronde, bruyante et enjouée, qui jouait mal de la guitare, sans embarras, devant la rue entière, lorsque les jours étaient soleils et son humeur en été.

J'ai retrouvé dans le sac une quantité incroyable de vieux dessins et parmi eux, le dernier que j'ai fait en terre natale. Ma mère l'avait trimballé jusqu'ici avec le peu de biens qui entraient dans ses valises et, durant toutes ces années, l'avait précieusement gardé. Il datait de décembre 1986, à peine quelques jours avant que nous ne quittions définitivement le Chili et s'adressait au père Noël. Il y avait une petite fille au large sourire confiant avec, bien sûr, des montagnes en arrière-plan. Je les ai reconnues. Tous les enfants chiliens dessinent des montagnes, la cordillère des Andes est notre horizon. C'est là que notre regard vient mourir. Pourtant, dans mes dessins subséquents, les montagnes avaient disparu.

Dans mon appartement du Plateau, un bébé fille dans le ventre et un sac de souvenirs à la main, je me suis demandé à quel moment j'avais cessé de voir des montagnes dans ma tête. Quand ont-elles arrêté de constituer la limite de mon monde ? J'ai pensé qu'elles se sont peu à peu estompées au gré des bourrasques de nos hivers canadiens. Ensevelies sous le poids du froid quand nous avons passé la frontière. Quand nous sommes arrivés à Montréal. Quand j'ai appris le français. Quand ma mère s'est teint les cheveux en blond pour avoir l'air plus québécoise. Quand je n'ai plus voulu l'accompagner à l'église. La neige devait déjà les avoir toutes recouvertes quand, comme femme de ménage, elle a abandonné définitivement l'espoir de retravailler un jour auprès des enfants.

Malgré qu'elle soit toujours très belle, coquette et ait l'œil coquin, la femme qui m'a remis le sac Jean-Coutu est beaucoup plus maigre que celle du Chili et n'a pas fait de musique depuis au moins un quart de siècle. Et si ça me fout la chienne de ne pas savoir exactement quand la cordillère a déserté mes dessins d'enfant, je sais aussi que dans tous mes dessins subséquents il n'y avait plus rien pour boucher l'horizon. Je me rends compte que c'est l'amour de ma mère qui a déplacé les montagnes, et pas n'importe lesquelles, toute la cordillère.

# ÉPILOGUE

## Je me souviens

Dans mes souvenirs, tout était clair. Je regardais les nouvelles avec mon père, dans la pièce du fond de notre appartement de la rue Sainte-Catherine Est, celle qui donnait sur la ruelle. J'écoutais d'une oreille distraite, en feuilletant un livre, jusqu'à ce qu'on annonce le décès de l'acteur Pierre Dufresne. Le grand gaillard qui incarnait Fardoche avait succombé à une crise cardiaque. Le topo radio-canadien montrait son visage balafré, sa carrure impressionnante pour la fillette que j'étais, sa prestance. Je ne l'aimais pas tant, en réalité il me faisait un peu peur, sa mort ne m'a donc pas attristée outre mesure. Mais on parlait de mon émission préférée. Fardoche était mort. Pour une fois, je me sentais véritablement concernée par ce qui se déroulait à la télé.

Le lendemain soir, en ouvrant le téléviseur, je vois pourtant Passe-Montagne, jouant de la cuiller, accompagné de Fardoche, l'agriculteur, ses grosses mains tambourinant au rythme de *Poussent poussent poussent / les bons gros légumes*.

J'étais sidérée. J'essayais fort, mais je ne comprenais pas. Le jour précédent, on me racontait son décès dans l'hommage et l'émotion. Aujourd'hui, devant mes yeux, je le voyais rire de son rire gras et sonore. *Miam miam miam / J'ai hâte d'en manger.*

Je suis allée questionner mon père :

— Papa, ils disent des mensonges aux nouvelles au Canada ?

— Pourquoi tu demandes ça ?

— Il est pas mort, Fardoche ?

— Si...

— Mais regarde ! Il est là !

— Caroline, *es un actor*. C'est un comédien...

— Oui, je sais, mais il est vivant ! Il est allé travailler à *Passe-Partout* !

— Qu'est-ce que tu racontes ? Ça a été tourné avant.

Le lendemain, à l'école, je me souviens très bien d'avoir été excitée de raconter ma découverte révolutionnaire à tout le monde : « *Guys,* c'est pas vrai de vrai la télé. ÇA A ÉTÉ TOURNÉ AVANT. » J'étais si enthousiaste à l'idée de propager la nouvelle. Nos vies sont réelles, plus vraies, plus directes que la télé : vivons !

Abasourdie, je venais de réaliser l'ampleur de la chimère qu'est la télé. Que ce qu'on y voit n'est pas le réel, pas même le maintenant. Pas une fenêtre sur le présent, juste une histoire qu'on a enregistrée et qu'on nous présente par la suite. Je voyais Fardoche percer l'écran avec sa chemise à carreaux et son panier de légumes, mais il n'existait plus. Plus jamais il n'existerait et pourtant, il continuait de chanter. *Je suis une laitue-tue-tue / J'veux être mangée / J'ai bien hâte qu'on vi-e-enne / me récolter.* Ça m'a habitée durant des semaines. Encore aujourd'hui, je considère ce moment comme un des fondements de mon passage de l'enfance à l'adolescence.

Après cet épisode, je n'ai pas pu continuer à regarder la télévision de la même façon. Je la verrais désormais d'un œil mauvais. *Ouais, ouais, cause toujours, je connais tes trucs, tu ne m'auras pas à grands coups d'émotions, je sais que c'est juste des histoires que vous avez déjà racontées, que vous me passez quand ça vous chante.* Trahie en même temps que subjuguée, le petit écran me déstabilisait. La fiction prenait sa source dans la chair de personnes réelles, mais elle continuait de dire et réciter, même une fois celles-ci mortes et enterrées. Comment cela pouvait-il avoir plus d'importance que des vies réelles qu'on passait sous silence ?

En écrivant ce livre, Fardoche a réussi à me surprendre une seconde fois.

Par souci du détail, j'ai fait quelques recherches sur *Passe-Partout*. Ce que j'y ai découvert m'a pétrifiée.

Pierre Dufresne est mort en 1984.

J'avais alors quatre ans.

J'habitais au Chili.

Je n'avais jamais entendu un seul mot en français, et le Canada n'était même pas encore un projet pour ma famille.

Il n'y a aucune chance que j'aie vu annoncer son décès aux nouvelles, que son apparition le lendemain à la télé m'ait terrassée et encore moins que j'en parle à toute ma classe le surlendemain. Absolument impossible.

J'ai d'abord cru que j'étais folle, que j'avais pris mes vrais souvenirs pour les remplacer par des balivernes. Puis j'ai pensé que je m'étais tellement approprié cette culture que je m'étais mentalement plantée ici avant même d'y avoir mis les pieds. Qu'ai-je effacé de ma mémoire pour que Pierre Dufresne vienne s'accrocher à mes souvenirs ? La petite fille qui n'a pas sauté lorsqu'à sept ans on lui a annoncé la fin de sa vie au Chili est-elle un peu morte, finalement, en quittant son pays ? Est-ce que comme une plante que l'on rempote, j'ai dû embrasser une nouvelle vie en oubliant mon ancienne, faisant table rase de mon passé ? On dit souvent que les souvenirs ne sont formés qu'avec l'apparition du langage. Ma langue est désormais le français, c'est elle qui s'est imposée et a tu ce qui précédait. C'est donc d'ici que je me souviens. Je ne sais pas quoi penser de cette image qui demeure pourtant si vive en moi. *Je suis une pomme de terre-terre-terre / Je pousse sous terre / J'voudrais bien qu'un jou-ou-our / on me déterre.*

Est-elle rêvée ? Inventée ? Fausse ?

Pourtant, elle me constitue.

Cette anecdote imaginée demeure aux fondements de mon identité, de mon rapport au monde, de la trame narrative de mon existence. En la dépoussiérant, je me rends compte que la mémoire choisit parfois des chemins laborieux en trouvant sa source là où les mots adviennent, sont fertilisés et germent comme des vivaces. Aujourd'hui, je prends acte du fait que je n'écris pas seulement mon histoire, mais plutôt que ces histoires m'ont écrite et forment les racines dans lesquelles je me suis inscrite.

# REMERCIEMENTS

Paul Moëll et Bérénice Moëll : vous êtes les meilleures personnes que je connaisse et la meilleure part de moi-même. Enfants lumière, c'est vous qui m'élevez.

Jacob Moëll : du såg mig på kvällen, du såg timmarna och all den där tiden, du fanns där alltid för mig. Du bereder vägen för mig in i alla mina projekt, alltmedan du förvandldar våra barn till en prins och en drottning.

Nicholas Dawson : mon complice, mon premier lecteur, tu es aussi le premier à m'avoir dit « tu es une écrivaine » et comme toujours, je t'ai cru.

Natalia San Martin, Alfredo Dawson, Jim Dawson : l'immigration, c'est vous qui l'avez reçue en pleine gueule et ce sont vos sacrifices qui ont permis à la joie, à la désinvolture et aux mots de prendre racine.

Maryse Andraos : merci pour tes yeux doux chaque fois que je ne voyais plus bien.

Rachel Bédard, Anne Migner-Laurin, Camille Simard et Margot Cittone : Remue m'a accueillie avec une telle douceur et un tel naturel que la première fois que j'y ai mis les pieds, j'ai su que j'étais à la maison. Merci de m'avoir guidée de façon si délicate.

Benoit Guilmain : un jour tu m'as dit que je devrais me montrer là où je suis vulnérable. Ça m'est resté en tête des années durant. Je pense que je t'ai finalement écouté.

Mes amies, mes sœurs : Jennifer Bélanger, Gabrielle Tremblay, Katia Belkhodja, Estelle Grandbois-Bernard, Johanne Lachance, Isabelle Bujold, Tanya Déry-Obin, Geneviève Bouchard, Julie Marchiori, Ève-Catherine Champoux, Valérie Blanc et les filles du FLJM : je n'aurais jamais écrit sans des cercles de support et de bienveillance remplis de femmes aussi fortes. Vous êtes une inspiration.

«La surprise dans la boîte de céréales», sous le titre «Les Honeycomb de Madame Thérèse», a été finaliste au Prix du récit Radio-Canada 2018 et a été publié sur le site web de Radio-Canada; «Travailler, c'est trop dur» a été présenté lors d'une performance de *storytelling* au MainLine Theatre, le 3 novembre 2018 dans le cadre d'*Enfabulation*, dirigé par Juliana Léveillé-Trudel et les Productions de brousse.